Kruekl, Karl

Ueber das Leben des elsaessischen Schriftstellers Anton von Klein

Kruekl, Karl

Ueber das Leben des elsaessischen Schriftstellers Anton von Klein

Inktank publishing, 2018

www.inktank-publishing.com

ISBN/EAN: 9783750132658

All rights reserved

Über das Leben des elsässischen Schriftstellers

Anton von Klein

am Hofe Karl Theodors von der Pfalz

und seine Beziehungen zu

Wieland, Schubart, Schiller, Babo u. a.

Abhandlung

zur Erlangung der Doctorwürde

bei der philosophischen Facultät

der Kaiser-Wilhelms-Universität zu Strassburg

von

Karl Krükl.

※

H. KAHLE
Hofbuchdruckerei Eisenach
1901.

Inhalts-Übersicht.

Quellen.

1. Die von Anton von Klein herausgegebenen Schriften.
2. Akten des Grossherzogl. Bad. General-Landes-Archivs in Karlsruhe.
3. Die im Besitz der Kaiserlichen Universitäts- und Landesbibliothek zu Strassburg i/E. befindlichen 150 Originalbriefe an Klein und die in Maltens Bibliothek der neuesten Weltkunde Aarau 1840 1. und 2. Band abgedruckten Briefe an Klein.
4. Allgemeine Deutsche Biographie 16. Band S. 78 (J. Franck).
5. Litterärisches Leben des Königlich Baierischen Geheimen Rathes und Ritters Anton von Klein. Wiesbaden 1818.

Abkürzungen.

Anz. f. d. A. = Anzeiger für deutsches Alterthum.

G. L. A. Karlsruhe = Grossh. Bad. General-Landes-Archiv Karlsruhe.

K. U. u. L. B. Strassburg = Kaiserl. Universitäts- und Landesbibliothek Strassburg.

L. L. = Litterärisches Leben (s. o. unter 5).

Malten, Bibl. d. n. W. = s. o. unter 3.

Schr. d. d. G. = Schriften der deutschen Gesellschaft in Mannheim.

In der vorliegenden Arbeit ist der Versuch unternommen, die Stellung eines Mannes in der deutschen Litteratur des achtzehnten Jahrhunderts zu charakterisieren, dessen Name uns in den einschlägigen Werken der litterarhistorischen Forschung zwar häufig begegnet, der aber noch keiner vollständigen, die Bedeutung seines Lebens und Schaffens festlegenden Darstellung gewürdigt worden ist.

Anton von Klein hat in der zweiten Hälfte des achtzehnten Jahrhunderts eine hervorragende Rolle in dem Geistesleben der Pfalz gespielt. Er ist durch die Eigentümlichkeit seiner Werke, wie durch seine litterarischen Verbindungen besonders geeignet, der Geschichte seiner grossen Zeitgenossen als Folie zu dienen.

Am Eingehendsten hat bisher über Anton von Klein Professor Dr. B e r n h a r d S e u f f e r t gehandelt, von dessen grundlegenden Arbeiten zur Litteratur- und Theatergeschichte dieser Zeit in der vorliegenden Schrift ausgegangen worden ist.

1.

Kleins Jugendjahre.

(1746—1773.)

Anton von Klein ist ein Sohn des Elsass. M o l s -
h e i m , die freundliche Provinzialstadt am Fusse der Mittel-
Vogesen, wenige Meilen westwärts von Strassburg, ist seine
Heimat. Wirkungsvoll hebt sich das alte Städtchen aus
dem Weingelände des lieblichen Breuschthales hervor. Die
bis heute erhaltenen Stadtmauern und das altertümliche Thor
zeugen noch von jenen Zeiten, da es als alte Bischofstadt [1])
in der Geschichte des Elsass durch seine Beziehungen zu
dem Bistum Strassburg eine Rolle spielte.

Mit der Gründung eines Jesuiten-Collegiums in Molsheim durch den Strassburger Bischof Johann IV., Graf
von Manderscheid - Blankenheim im Jahre 1580, bald
nachdem die katholische Geistlichkeit aus Strassburg
durch die Stürme der Reformation verdrängt worden war,
begann die Blütezeit der Stadt. Die Erhebung des Collegiums zur Universität i. J. 1618 [2]) führte den Höhepunkt des
geistigen Lebens in Molsheim herbei, auf dem es sich aber

---

[1]) Seit dem Anfang des 14. Jahrhunderts.

[2]) Durch Erzherzog Leopold von Oesterreich, Bischof zu Strassburg
und Passau. Papst Paul V. hatte 1617 die Universitäts-Privilegien verliehen, welche Kaiser Mathias bestätigte. Paulsen Gesch. des gel. Unterrichts S. 269. Berger-Levrault, Annales des Professeurs CVII f. Lorentz-
Scherer S. 293 f., 322 der Litteraturgesch. des Elsass.

1

nur kurze Zeit behaupten konnte. Die Verlegung der Universität nach Strassburg i. J. 1702,[1]) die Aufhebung des noch in Molsheim zurückgebliebenen Collegiums i. J. 1765, infolge der Ausweisung der Jesuiten aus Frankreich, — Anton von Klein hat diese Zeit in Molsheim selbst miterlebt —, und endlich die Stürme der französischen Revolution besiegelten das Schicksal des Städtchens.

Franz Anton von Klein wurde am 12. Juni 1746 geboren, als Sohn des katholischen Bäckermeisters Franz Nicolaus Klein und seiner Ehefrau Anna Maria, geb. Tröstler.[2]) Er war der dritte Sohn derselben, es folgte ihm nach dem Molsheimer Taufregister noch ein Bruder[3]) und nach einem Billet aus Strassburg noch eine Schwester, für deren Unterhalt und Erziehung er Sorge trug.

Seine Eltern, welche zu den wohlhabenden Bürgern der Stadt zählten, wünschten Anton, im Gegensatz zum Beruf des Vaters und Grossvaters, eine wissenschaftliche Ausbildung geniessen zu lassen.

Damals lag der öffentliche Unterricht der Stadt in den Händen der Jesuiten, deren Collegium noch als Ueberrest der früheren Universität fortbestand. Die Lehrer desselben waren Deutsche, im Gegensatz zu den französischen Jesuiten in Strassburg, welche Ludwig XIV. aus der Champagne dorthin gebracht hatte. Sie kamen aus der Rhein-Provinz (province du Rhin supérieur) und gebrauchten mehr die

---

[1]) Annales d. P. CXXXIII Rhein. Beitr. 1777. S. 330.

[2]) Nach den Trauungs- und Tauf-Registern der Stadt Molsheim. Das Geburtsjahr ist bisher, im L. L. wie in allen litterarischen Werken, irrig angegeben worden. Als einzig richtig bestätigt sich die Angabe des Geburtstages und -Jahres in De Backer Bibliothèque de la Compagnie de Jésus 1. Partie Bibliographie, 2. Partie Biographie. Nouvelle Edition par Sommervogel 1893 Tome IV. col. 1103.

[3]) Vermutlich der im weiteren öfters erwähnte Professor Klein in Mainz. Nähere Nachrichten über den Verbleib der Eltern und das Schicksal der Geschwister Anton von Klein's fehlen gänzlich. Ein Vetter von ihm war Bischof von Tournay. (Siehe Anhang.)

deutsche Sprache, während bei den Strassburger Jesuiten die französische heimisch war.[1])

Die Jesuiten, emsig bemüht, die besten Elemente der Jugend als geeigneten Nachwuchs für ihre Gesellschaft zu gewinnen, konnten sich den aufgeweckten Knaben nicht entgehen lassen, zumal sie bei der Wohlhabenheit des Vaters erwarten durften, dass er ihnen eine reiche Ausstattung zuführen werde. Die Eltern, durch das Ansehen der Geistlichkeit und die Prophezeiung der glänzenden Zukunft des Kindes gewonnen, liessen sich von den Jesuiten überreden und übergaben ihnen den Knaben zum Unterricht.

Er muss ein vorzüglicher Schüler ihrer Anstalt gewesen sein, dem es an der Sympathie seiner Lehrer und mancher Auszeichnung nicht gefehlt hat.

Es war in den Jesuitenschulen üblich, jährlich Preise an die besten Schüler auszuteilen.[2]) Damals schon regte sich ein fast krankhafter Ehrgeiz in dem jungen Schüler. Er war gewohnt, den ersten Preis davon zu tragen. Sein Ehrgeiz wurde zur Leidenschaft und quälte ihn so sehr, dass er einmal einen durch die Ungunst eines Lehrers ihm zugeteilten zweiten Preis zurückwies und infolge dieser bitteren Erfahrung erst auf eindringliches Zureden seiner Eltern hin seine Studien wieder fortsetzte.

Früh erwachte in dem lebhaften Knaben die Liebe zur Litteratur. Es fehlte ihm nicht an Gelegenheiten, seine Wissbegierde zu befriedigen.

Wie uns berichtet wird,[3]) hatte er als Schüler das Glück, durch einen seiner Professoren mit den Werken der grössten französischen Dramatiker, wie mit den Mustern der klassischen Beredsamkeit der Franzosen bekannt gemacht zu werden: Corneille, Racine, Bossuet, Massillon u. a. beschäftigten schon frühzeitig mit ihren Meisterwerken den Geist und die Phantasie des jungen Mannes.

---

[1]) Näheres bei Berger-Levrault S. CXLI f. Annales des professeurs.
[2]) Vgl. Kelle, die Jesuiten-Gymnasien in Oesterreich 1876. S. 149.
[3]) L. L. S. 18 f.

1*

Er verschlang diese Lektüre mit einer Art Heisshunger. „Sein Geist war in so hohem Grade von ihr entzückt, dass, als er späterhin dieselbe mit ernsteren Gegenständen vertauschen musste, er sich in die Bibliothek seines Professors verstohlen durch ein ausgehobenes Fenster einschlich, und an den Produkten der berühmtesten französischen Litteratoren sich labte, während seine Collegen in ascetischen Betrachtungen oder theologischen Grübeleien versunken waren, die, wie er oft äusserte, seinen Geist auf die Folter spannten."

Das gewöhnliche Programm der Jesuitenschulen, welches die Jahresdauer der verschiedenen Ausbildungsstufen genau vorschreibt, war dieses: Nach den zwei zum Noviziate erforderlichen Jahren absolvierte das angehende Ordensmitglied (scholasticus approbatus) den humanistisch-philologischen Kursus, welcher zwei Jahre erforderte. Er war hauptsächlich der Rhetorik und Litteratur gewidmet und diente als Vorbereitung auf die Lehrthätigkeit an den Jesuiten-Gymnasien.[1]

Weitere drei Jahre füllte die Beschäftigung mit der scholastischen Philosophie (nebst Mathematik und Physik) aus. Nach abgelegter Prüfung und Verleihung der litterarischen Grade durch den General, folgte die Zeit der „Regenz", in welcher das angehende Mitglied während 4—6 Jahren als sogenannter Magister oder Professor alle vier Grammatikalklassen, den Cursus der Eloquenz und Philosophie, mit den Schülern nochmals docendo durchmachte,[2] ohne sich hierbei gemäss den Statuten des Ordens eines bleibenden Aufenthaltes in einer Stadt erfreuen zu können.

Nach der Angabe der Bibliothèque de la Compagnie de Jésus soll Klein am 14. September 1764 zum Noviziat in Molsheim zugelassen worden sein. Wenn

---

[1] Vgl. Annales des Professeurs: Schola Molshemiana Tableau synoptique des cours 1701—1765.

[2] Paulsen, Geschichte des gelehrten Unterrichts S. 264. Schmidt, Encyclopädie des Erziehungs- und Unterrichtswesens. Kelle 71 f.

das richtig ist, so muss er einige der normalen Klassen als
besonders begabter Schüler übersprungen haben, denn er ist
i. J. 1765 unzweifelhaft bereits Magister gewesen.

Aus der Zwischenzeit lässt sich nur dies Eine feststellen:
Am 30. September 1765 erfolgte die Aufhebung des Jesuiten-
Collegiums in Molsheim. Sie wurde von seiten der Stadt
mit grosser Trauer aufgenommen.[1])

Dies Ereignis mag den Anlass zu der im L. L. S. 10 erwähnten Uebersiedelung des Zöglings nach Mainz gegeben
haben. Jedenfalls lässt sich die Zeit der Lehrthätigkeit des
m a g i s t e r Klein wieder näher verfolgen.

Sein Weg führte ihn zunächst im Jahre 1768 als öffentlichen Lehrer an das Collegium zu M a n n h e i m. Mit
diesem Jahre beginnt bereits die erste Periode, in welcher
Klein als junger, eben den Studien entwachsener Jesuit
entschiedenen Anteil an der Entwicklung der deutschen
Sprache und Litteratur in der pfalzbairischen Residenz zu
nehmen anfing.

An dieser Stelle begnüge ich mich kurz von dem zu berichten, was uns bei der litterarischen Würdigung Kleins im
Zusammenhange wieder begegnen wird.

Ungeachtet seines jugendlichen Alters von 22 Jahren
hatte er den Mut, auf die Schäden, welche durch den
Jesuitischen Sprachunterricht für unsere Muttersprache er-
wachsen waren, hinzuweisen und drang sofort auf die Einführung der Lehre der verbesserten deutschen Sprache in
das kurfürstliche Gymnasium und die lateinischen Schulen
zu Mannheim.[2])

Er suchte zugleich auf praktischem Wege seinen Bemühungen Erfolg zu verschaffen. Er veranlasste nämlich

---

[1]) In Frankreich war die Aufhebung des Ordens schon ein Jahr vorher erfolgt. Die Kirche im Elsass stand aber nur in losem Verbande
mit der Kirche in Frankreich, sie war noch vielfach an Deutschland ge-
knüpft. Die eine Zeitlang genährte Hoffnung der Molsheimer, dass für
sie eine Ausnahme von dem Edikt gemacht werde, bestätigte sich jedoch
nicht. Guerber, Liebermann S. 1.

[2]) Schr. d. d. G. 1, 10.

bei dem äusserst religiös gesinnten Superior der Jesuiten in Mannheim den Ankauf einer deutschen Bibliothek der Schriftsteller des 18. Jahrhunderts, zu welchem eine bedeutende Summe verwendet wurde. Diese Neuanschaffungen erregten Aufsehen, zumal Klein das Interesse des Publikums durch erklärende Aufsätze zu erhöhen wusste, sodass sich nicht nur den Lehrern sondern dem gesamten gebildeten Publikum ein neuer Gesichtskreis darbot.

„Das Vorurtheil erstaunte weit weniger über dieses plötzlich hereindringende Heer protestantischer Schriftsteller, als es über die freilich vergebens gefürchtete Verdrängung der Römer klagte. Dies wurde von einem jungen Schullehrer, der selbst noch wenig gebildet, aber voll Wärme für das Gute, und mit Mut und aller Entschlossenheit eines Neuerers ausgerüstet war, im Jahre 1768 bewirket," — so berichtete Klein selbst siebzehn Jahre später in einer öffentlichen Sitzung der Kurpfälzischen Deutschen Gesellschaft.[1]

Auch seine ersten dramatischen Versuche fallen in diese Jahre. Allerdings sind sie ganz nach der Schablone der Jesuiten-Komödien gefertigt und dürftige Nachahmungen der französischen klassischen Vorbilder.

War Klein auch selbst noch nicht im stande, sich in der dramatischen Dichtung mit Erfolg zu versuchen, so wohnte er mit um so grösserer Begeisterung als eifriger Zuhörer den glänzenden Vorstellungen der Hofbühne Karl Theodors bei, an welcher damals die französische Komödie und vor allem die italienische Oper, besonders die Werke des Metastasio, ihre letzten Triumphe feierten. Auf seine Verwendung hin wurde den Professoren der Eintritt in die Hofschaubühne gestattet.[2]

Da der junge Lehrer mit Eifer und mit Ernst seine Bemühungen für die Verbreitung der Litteratur und die Sprachverbesserung vertrat, so hatte er auch eine Anzahl von litterarischen und wissenschaftlichen Fehden zu bestehen.

---

[1] Schr. d. d. G. 1, 10.
[2] L. L. S. 13.

Die wichtigste derselben war diejenige, welche er „als Jesuit und Magister eben in dem Fache der deutschen Sprachlehre und Rechtschreibung" mit dem Hofkaplan und Akademiker H e m m e r hatte, deren Folgen ihm der letztere noch nach Jahren nicht verziehen haben soll.[1]) H e m m e r hatte im Jahre 1769 seine akademische „A b h a n d l u n g ü b e r d i e d e u t s c h e S p r a c h e z u m N u t z e n d e r P f a l z" veröffentlicht. Mag nun das gespannte Verhältnis zwischen den Akademikern und den Jesuiten, welche von der Mitgliedschaft in der Akademie ausgeschlossen waren,[2]) oder persönliche Feindschaft die Gereiztheit der beiden Gelehrten gegen einander verschärft haben: Klein, besonders erbost, weil Hemmer seine bisherigen Verdienste in der bezeichneten Abhandlung einfach übergangen und die Gelehrten der Pfalz im allgemeinen heruntergesetzt hatte, griff die Neuerungen Hemmers, namentlich seine eigentümliche Orthographie an, da sie dem Geiste der deutschen Sprache zuwider seien. Verletzte Eitelkeit scheint dabei seinerseits hauptsächlich im Spiele gewesen zu sein. Denn in seiner bereits citierten Vorlesung „V o m U r s p r u n g e d e r A u f k l ä r u n g d e r P f a l z" kam er vor der deutschen Gesellschaft auf diese Fehde wieder zu sprechen und bemerkte ziemlich deutlich über Hemmer: „Ein Mann, der sich gründliche Kenntnis der vaterländischen Sprache erworben hatte, schilderte ihren traurigen Zustand in der Pfalz mit etwas zu lebhaften Farben. Was einige Zeit vorher in den Schulen vorging, war ihm unbekannt."[3])

Der Angriff Kleins war das Losungszeichen zu einer Reihe von Streitschriften, welche über drei Jahre lang die allgemeine Aufmerksamkeit auf die deutsche Rechtschreibung und Sprache lenkten.

Kein Wunder, dass dem jungen Gelehrten zahllose

---

[1]) Vgl. von Stengels Memoiren. Heigel, Zeitschr. f. allg. Gesch. IV. 1887 S. 448.

[2]) Ebendort S. 436.

[3]) Schr. d. d. G. 1,12.

Neider und erbitterte Feinde erstanden. Es konnte nicht
ausbleiben, dass allmählich in dem Orden selbst eine Erbitterung über das junge Mitglied ausbrach, dessen freies und
reformatorisches Auftreten mit ängstlichen Blicken verfolgt
wurde. Man wird ihm wegen seiner Bemühungen um die
doch fast ausschliesslich protestantische Litteratur des achtzehnten Jahrhunderts von jesuitischer Seite denselben Vor-
wurf gemacht haben, wie J. v. S o n n e n f e l s i. J. 1761,
als er in Wien eine deutsche Gesellschaft stiftete, nämlich
diesen, „dass er das Luthertum einführen wolle."

So mag es gekommen sein, dass Klein plötzlich „als ein
Märtirer seiner Neuerungsbegierde", wie er selbst erzählt, im
Jahre 1772 v e r s e t z t wurde und die Pfalz verlassen musste.

Es ist eine Laune des Schicksals gewesen, dass er zwei
Jahre später als ein freier Mann unter ganz anderen Umständen wieder in dieselbe Stadt einzog, welcher er jetzt
mit Undank belohnt, den Rücken kehren musste.

Sein Aufenthalt wechselte während der nächsten beiden
Jahre häufig und lässt sich nur unsicher angeben. Er soll
innerhalb dieser Zeit in den Städten Würzburg, Erfurt,
Halberstadt [1]) und Heiligenstadt [2]) als Docent gelebt haben.

Als er das zweite Jahr [3]) von Mannheim entfernt war
— er stand gerade unmittelbar vor dem Beginn der theologischen Studien und der Entscheidung, unwiderruflich in die
Gesellschaft Jesu aufgenommen zu werden — da erfolgte
auf Befehl des deutschen Kaisers mit Genehmigung des
Papstes C l e m e n s' XIV. (Bulle vom 21. Juli 1773) die
Aufhebung des Jesuitenordens in Deutschland.

Mit einem Schlage war der junge Lehrer von jeder
Fessel und Verpflichtung befreit, die Schranken, welche ihn
von der Welt getrennt und die freie Entwicklung seiner
Geistesgaben gehemmt hatten, waren gefallen.

---

[1]) Nachdem L. L. S. 10.
[2]) In Heiligenstadt befand sich ein Jesuiten-Collegium für das kur-
fürstlich-mainzische Eichsfeld. Kleins Aufenthalt dortselbst bestätigen die
Gött. Gel. Anz. 1776. 2. Bd. S. 1216.
[3]) Siehe Schr. d. d. Ges. 1, 14.

Er dachte nicht daran, ferner in dem Dienste der Kirche zu verbleiben. Bot ihm doch schon seit Jahren die Beschäftigung mit den Sprachen, Wissenschaften und Künsten allein Befriedigung. Kein Anerbieten verschiedener geistlicher Höfe konnte ihn verlocken, der einmal erlangten Freiheit wieder zu entsagen. Noch lebte mächtig in ihm die Erinnerung an seinen vierjährigen Aufenthalt in der glänzenden Residenz Karl Theodors, welche damals als Pflegestätte der Künste und Wissenschaften ersten Ruf genoss. Bald war der Entschluss gefasst, dort das Glück zu versuchen. Klein liess sich von seinem Vorhaben auch nicht abbringen, als sein Vater seine Erbitterung über die Sinnesänderung des Sohnes kund gab und ihm drohte, wenn er seinen Entschluss nicht ändern werde, seine väterliche Hand von ihm zu ziehen.

„Ich, der ich das unschätzbare Glück gehabt, von Kindheit an den schönen Künsten geheiliget zu werden — so erinnerte er sich später begeistert in dem ersten Entwurf seiner Vorlesungen an diese Zeit — der ich mehrere Jahre auf öffentlichen Lehrstühlen in verschiedenen Gegenden Deutschlands ihren Ruhm und ihre Nutzbarkeit zu verbreiten trachtete, sollte ich nun, da mich das Schicksal gleichsam aus ihren Armen gerissen und in ein anderes Feld von Wissenschaften übersetzt hat, mich ihrem Reize gänzlich entziehen?"

Er überwand alle Hindernisse und reiste, von seinen Eltern mit einer anständigen Aussteuer versehen, Ende des Jahres 1773 nach Mannheim.

2.

Erste Mannheimer Periode.

(Ende 1773—1775.)

Zunächst machte er hier den Versuch, die Diplomatik und die Rechte zu studieren. Es währte aber nur kurze Zeit, so hatte der junge Schöngeist an der gänzlich vernachlässigten Gerichtssprache und dem tödlich langweiligen Geschäftsgange einen heftigen Widerwillen empfunden. Um so eifriger hatte er aber seine p h i l o s o p h i s c h e n S t u - d i e n fortgesetzt. Bot doch schon der Aufenthalt selbst in der kunstliebenden, prächtigen Residenz Karl Theodors, dem Reiseziel so vieler Gelehrten und Kunstfreunde, Genüsse und Anregungen seltenster Art.

Hervorragende Sammlungen, wie die damals schon auf 70 000 Bände angewachsene kurfürstliche Bibliothek, der berühmte Bilder- und Statuen-Saal,[1] das Kupferstich- und Handzeichnungs-Cabinet, die Altertumssammlung, das Naturhistorische Cabinet u. a. m. bargen ein reiches Material zu wissenschaftlichen Studien.

Trotz dieser Bildungsanstalten und der glänzendsten Kunstleistungen am kurfürstlichen Hofe stand es um die wissenschaftliche Pflege der Litteratur und Kunst noch schlecht. Niemand hatte es sich bis dahin angelegen sein lassen, an der Hand der vorhandenen Meisterwerke ein tieferes und allgemeineres Verständnis für dieselben bei dem Publikum heranzubilden. Diesen Mangel hatte Klein schon vor sechs Jahren wahrgenommen und war damals gleich energisch für die Pflege deutscher Sprache und Litteratur eingetreten. Nunmehr konnte er hoffen, sich hier ein fruchtbares Feld der Bethätigung zu eröffnen und das seiner Zeit begonnene Werk fortzusetzen.

---

[1] Herder, Goethe, Schubart, Lessing und Schiller waren von der glücklichen Zusammenstellung desselben überrascht.

Er fasste ernstlich den Plan ins Auge, sich in Mannheim als Lehrer der Gelehrsamkeit und der schönen Künste niederzulassen. Zu diesem Zwecke setzte er einen E n t - w u r f über diejenigen Gegenstände auf, welche er aus dem Gebiete der schönen Wissenschaften zu behandeln gedachte. Ein glücklicher Zufall kam seinen Plänen zu Hülfe. Einer seiner Freunde (Freiherr v o n W e i l e r), dessen Ansicht er sich über den Entwurf erbeten hatte, übergab denselben dem Herrn v o n S t e n g e l, dem Cabinets-Secretär Karl Theodors. Der Letztere, ein in den Wissenschaften und Künsten erfahrener Mann, fand an dem Entwurf Gefallen und unterbreitete ihn gelegentlich dem Kurfürsten.[1])

Derartige deutsche Arbeiten scheinen bis dahin nur selten in das Cabinet Karl Theodors gedrungen zu sein: denn „die sonderbare Erscheinung einer solchen Schrift in deutscher Sprache erregte die ganze Aufmerksamkeit des Fürsten. Er verlangte die Ausführung der Sache und nun ward die P r o f e s s u r d e r s c h ö n e n W i s s e n s c h a f t e n gegründet."

Dies geschah zu Anfang des Jahres 1774[2]) und erregte bei Hofe und in den gebildeten Kreisen der Stadt grosses Aufsehen.[3])

Kleins Entwurf blieb entscheidend für den Charakter der Professur und erschien alsbald im Druck. Er stellte sich darin die Aufgabe, „junge Herren, die Talente besitzen, zu den schönen Künsten vorzubereiten, und ihren Verstand

---

[1]) Klein hat in seiner genannten Vorlesung ausdrücklich hervorgehoben, dass dieser Vorgang ohne sein Begehren und Vorwissen geschehen ist. Schr. d. d. G. 1, 15.

[2]) Vgl. Etwas zur Aufmunterung d. g. G. S. 11.

[3]) Die seltsamsten Aeusserungen müssen bei der Rücksprache über dieses Ereignis gefallen sein. Denn Klein hat später in die Ausgabe seiner Gedichte die Spottzeilen aufgenommen:

Vor 18 Jahren in N. N.

Ein Höfling hört, was längst man wünschte, sey geschehn:
den schönen Künsten wär ein Lehrer aufgestellt;
den schönen Künsten? ruft er, brav! Nichts in der Welt —
(denkt an den letzten Markt!) — ist lustiger zu sehn.

mit solchen Kenntnissen zu bereichern, von denen sie ihr
ganzes Leben hindurch Gebrauch machen könnten." Er
wandte sich also an die Allgemeinheit, indem sein End-
zweck dahin ging, überhaupt den Geschmack in den schönen
Wissenschaften zu befördern und allgemein zu verbreiten:
„So können nicht nur junge Herren,[1]) sondern jedermann,
wessen Alters er ist, meinen Vorlesungen beywohnen." Und
indem er Jung und Alt, Laien und Gelehrte zum Besuch ein-
lud, fügte er das Anerbieten hinzu: „Wenn diejenigen, die
sich unter meiner Anführung auf die schönen Wissenschaften
befleisen, Verlangen tragen, fremde Schriftsteller, besonders
lateinische und französische Dichter und Redner, in ihrer
eigenen Sprache zu lesen, so werde ich mir eine Freude daraus
machen, ihnen an die Hand zu gehen."

Am Anfang hatte er aber manche Schwierigkeiten zu
überwinden. „Ich weiss es freilich wohl, erklärte er im
Jahre 1775 vor seinen Zuhörern und Freunden, dass es noch
grosse Beschwernisse haben werde; ich habe unser Publikum
nur zu gut kennen lernen." Und an einer anderen Stelle
sagt er: „Der Entwurf meiner Vorlesungen machte unser
Publikum aufmerksam; allein man sah alles für ein Phänomen
an, das gleich wieder verschwinden würde. Ich hatte die
Unwissenheit, die Dummheit, den Neid und die Bosheit zu be-
kämpfen; und es gieng mir, wie allen denjenigen, die es unternehmen, was gutes zu stiften." [2])

Seine Stellung war insofern eine günstige, als sie unab-
hängig von jedem gelehrten Körper war und unmittelbar
unter der Oberaufsicht des Hofes stand. Allein ihr fehlte
vorerst die wichtigste Vorbedingung, die Unterstützung mit
Geldmitteln. Ohne diese konnte der junge Lehrer um so
weniger bestehen, als er bereits in dem halben Jahre bis zu
seiner Ernennung die von den Eltern erhaltenen Geldmittel
zugesetzt und zu den nötigsten Anschaffungen für sein neues

---

[1]) Die meisten seiner ersten Zuhörer hatten noch nicht das sechzehnte
Jahr überschritten.
[2]) Etwas zur Aufmunterung d. g. G. S. 9 und 11.

Amt nichts mehr übrig behalten hatte. So musste er sich
denn im Mai 1774 mit einer Bittschrift [1]) an den Kurfürsten
wenden, in welcher er die misslichen Umstände, in denen
er sich befände, vorstellte und „wegen seines nötigen Unter-
haltes, wegen so vieler Bücher und Instrumente, die ihm
zu einem so weitschichtigen und nützlichen Werke notwendig
wären," um eine hinlängliche Besoldung bat.

Einen Monat später wiederholte er seine Bitte, da keine
Entscheidung erfolgt sei, seine Verfassung aber von Tag zu
Tag unbequemlicher werde, ein so allgemein nützliches Werk
fortzusetzen, da die schönen Künste dem Mangel zu unter-
liegen anfingen, und der grosse Trieb, der in ihm wohne,
fürs Vaterland zu arbeiten, nichts als Hindernisse finde.

Karl Theodor liess ihm daraufhin durch ein Rescript
vom 6. Juli 1774 einstweilen auf drei Jahre alljährlich 300
Gulden aus den Gütern des ehemaligen Mannheimer Jesuiten-
Collegiums zusichern. Nach dem Verlauf des ersten Viertel-
jahres kam aber weder das Geld noch eine Anweisung, sodass
Klein in einem Schreiben (vom 1. Nov. 1774) hierüber Klage
bei dem Kurfürsten erhob. In demselben ging er aber zugleich einen Schritt weiter: Es kam ihm darauf an, durch
Beweise seines Eifers und seiner Verwendbarkeit die Be-
rechtigung seiner Anstellung zu erhärten. Er schrieb also:
„Den Nutzen meiner Vorlesungen, von dem ich dem Publikum durch die öffentlichen Prüfungen der mir anvertrauten
Jugend mit dem allgemeinen Beifall vollkommene Proben
gegeben habe, allgemeiner, und mich der Höchsten Gnade
E. Kuhrfürstl. Durchlaucht würdiger zu machen, bitte ich,
bei Gelegenheit vorstehender Schulverbesserung mich zu den
Vorlesungen über die schönen Wissenschaften in den öffentlichen Schulen gnädigst bestimmen zu mögen. Zu dieser
unterthänigen Bitte bewegen mich die Wünsche des Publikums und mein unbegrenzter Eifer fürs Vatterland zu
arbeiten."

---

[1]) Aus den Akten des G. L. A. Karlsruhe, Prof. Anton Klein, welchen
die sämtlichen weiterhin mitgeteilten Eingaben und dgl. entnommen sind.

Karl Theodor war ihm gewogen und erteilte ihm die Erlaubnis.[1])

Klein scheint zur Befriedigung seiner Bedürfnisse keine bescheidenen Ansprüche gestellt und von Anfang an für seinen Unterrricht eine Menge Anschaffungen gemacht zu haben. Denn er bat bereits im Februar d. J. 1775 um die Erhöhung seines Gehaltes. Dieses Schreiben giebt ebenso über die geschickte Art, auf welche er sich seine Stellung zu erkämpfen wusste, wie über seine damaligen Privat-Verhältnisse erwünschte Auskunft. „Mit allen Bemühungen, so beginnt es, die ich mit so grossem Eifer zur Beförderung der schönen Künste unternommen und mit so allgemeinen Beifalle bisher fortgesetzt habe, und deren Früchte das Publikum bei den öffentlichen Prüfungen meiner Schüler mit so viel Vergnügen angesehen hat, mit allen diesen Bestrebungen bringe ich es nicht dahin, dass ich auch nur zur Noth leben kann.

Bisher habe ich mich mit Demjenigen unterstützet, was ich von meinen Aeltern empfangen hatte. Diese Quelle ist nun erschöpfet; ich bin in die äusserste Noth versetzet, und es ist mir kein Mittel mehr übrig, als dass ich mich vor den Thron des allgemeinen Vatters der Künste und Wissenschaften werfe, und um die Höchste Gnade der Unterstützung flehe. War jemals ein Werk der Höchsten Gnade E. K. Durchlaucht würdig, so ist es gewiss diese Professur, die zu einem so allgemeinen Frohlocken wahrer Patrioten von E. K. Durchlaucht ist errichtet worden, die einen so wesentlichen Einfluss in alle Wissenschaften und einen so ausgebreiteten Nutzen im Staate hat.

Die auswerdigen Gelehrten haben in ihren öffentlichen Schriften der Pfalz zu einer so erwünschten Stiftung feierlich Glück gewünschet, und verschiedene von den berühmtesten Männern Deutschlands haben mir zugeschrieben um mich zu dem grossen Unternehmen, als da die Beförderung

---

[1]) conferentia Electorali intima d. d. 3. Nov. 74, wie auf der Bittschrift vermerkt ist.

des guten Geschmacks und der schönen Künste in unserem
Vatterlande ist, aufzumuntern.

Dieses und die Hoffnung auf die Höchste Gnade E. K.
Durchlaucht haben mir den Muth gemacht, in verschiedenen
Orten, wohin man mich berief, Professuren mit reichen
Gehalten auszuschlagen.

Welche Aufsicht würde es bei den Ausländern machen,
und welcher Nachtheil würde es für die Wissenschaften
in der Pfalz sein, wenn dieses wichtige Werk wiederum
zerfallen sollte? Und wie kann es von dem Falle errettet werden, wenn nicht die hilfereichen Hände E. K. Durchlaucht
dasselbe gnädigst unterstützen?

In diesen Zeiten, wo die Lebensmittel, Wohnung, Klei-
dung, Bücher und alle Kleinigkeiten so theuer sind, ist es
unmöglich, mit einem ganz geringen Gehalt zu bestehen;
die Sorgen drücken mich von allen Seiten her, und rauben
mir die kostbare Zeit, die allein den Musen sollte geheiliget
werden.

Die schönen Künste fliehen den Mangel, sie sind Töch-
ter des Vergnügens und des Wohlstandes, und wohnen nur
unter dem Schatten des Thrones der Auguste.

E. K. Durchlaucht sind der grosse und unsterbliche
Beschützer der schönen Künste, und es ist niemals erhöret
worden, dass sie bei den Füssen E. K. Durchlaucht fleheten,
ohne ihrer Bitte gewähret zu werden.

Ich verlange keine grosse Besoldung, dergleichen
anderswo den Professoren der schönen Künste bestimmet sind,
oder dergleichen E. K. Durchlaucht selbst so viele Professoren
auf der Universität gnädigst bestimmet haben. Ich verlange
nur zu leben, von einer niederdrückenden Nothdurft befreit,
und in den Stand gesetzt zu sein, arbeiten zu können und E. K.
Durchlaucht und dem Publikum nach meinen Kräften zu
dienen." Im weiteren bat er um eine neue Zulage von
300 Gulden aus den Gütern der Jesuiten: „Bei einem Fundus,
wie der Fundus der ehemaligen Jesuitengüter ist, so erklärt
er, sind 300 Gulden sozusagen, unmerkbar; und wenn auch

zur Zeit etwas muss zugesetzet werden, so findt sich dieses
bald wieder, da dieser Fundus nicht ab- sondern zunimmt,
wie nämlich die Glieder der ehemaligen Gesellschaft nach
und nach abgehen."

In gewandter Weise schloss er seine Bittschrift mit den
schmeichelnden Worten: „Die schönen Künste werden dankbar und für die Unsterblichkeit E. K. Durchlaucht besorget
sein. Meine Muse wird es für ihre wesentlichste Pflicht ansehen, E. K. Durchlaucht ewig zu huldigen."

Noch in demselben Monat bewilligte ihm der Kurfürst
bis auf anderweite Verordnung die Verabreichung von jährlich 200 Gulden aus der katholischen geistlichen Admini-
strations-Kasse.[1]) Obwohl dieselbe den Einwand gegen diese
neue Belastung machte und auf die geringe Anzahl der
Schüler Kleins hinwies, blieb es dabei.

Schliesslich erhielt Klein auch (im März 1775) ein
grösseres Lehrzimmer in dem ehemaligen Jesuiten-Collegium zugewiesen, in Anbetracht der zunehmenden Zahl
seiner Schüler und der Notwendigkeit, „so viele hohe Gönner, die den Prüfungen öfters beiwohnten, nach Würde
empfangen zu können."

So war das Ziel erreicht. Seine Stellung war nunmehr
innerlich wie äusserlich gefestigt, sie versprach eine sichere
Existenz und hatte sich gegen die zahlreichen Feinde behauptet. „Vergebens widersetzte sich betitelte Pedanterey
und Unwissenheit. Sie wurde gestürzet, und sah mit Er-
staunen die schönen Blüten, die sie nicht in dem Keime verderben konnte" — so erklärte Anton Klein mit Stolz, als er
zehn Jahre später auf diesen Erfolg zu sprechen kam.[2])

Auch an Aufmunterung von allen Seiten fehlte es
dem jungen Lehrer nicht.

Aus der Zahl seiner auswärtigen Freunde, welche sich
seiner mit Wärme annahmen, ragen zwei Männer besonders
hervor: Wieland und Schubart.

---

[1]) Laut Rescript ex cons.-o. El.-i. int.-o vom 24. Februar 1775.
[2]) Schr. d. d. Ges. 1, 15.

3.
Beziehungen zu Wieland.

Schon in dem Jahre 1772 scheint Klein mit dem damaligen Professor der Philosophie und der schönen Wissenschaften C h r i s t o p h M a r t i n W i e l a n d in Erfurt (Frühling 1769 bis September 1772) persönlich bekannt geworden zu sein, als er an das dortige Collegium versetzt wurde. Nichts mag dem jungen Lehrer erwünschter gewesen sein, als der Unterricht und die Bekanntschaft dieses berühmten Fachgenossen. Wenigstens lässt der Umstand, dass Klein bald nach seiner Rückkehr von Erfurt nach Mannheim an Wieland einen von demselben freudig aufgenommenen Brief schrieb, und dass Wieland seitdem mit ihm eine Zeit lang einen brieflichen Verkehr unterhielt, diese Vermutung aufkommen, zumal Klein sich von vornherein als begeisterter Verehrer der Wielandschen Muse kundgab und später einer seiner Nachahmer wurde.

Klein hatte in dem erwähnten Briefe mit der Nachricht, dass man die „Alceste" in Mannheim aufführen wolle, dem Dichter eine besondere Freude gemacht, sodass dieser ihm in einem längeren Schreiben (vom 20. September 1774) [1] dankte. In demselben wünscht ihm Wieland nach einigen einleitenden Worten über den vergangenen Sommer und die Aufhebung der Jesuiten in der aufmunterndsten Weise zu seiner neuen Stellung Glück. Er schreibt folgendermassen: „Wiewohl ich das Unglück habe, von einer Gattung Leute, die man auf französisch Cagots nennt, für einen bösen Menschen gehalten zu werden; so bin ich doch im Grunde eine so gutherzige Seele, dass ich über das Unglück der Jesuiten

---

[1] Abgedruckt im Morgenblatt 1820, 2 No. 160 (S. 641).

eben keine grosse Freude habe empfinden können. Warum muss das Gewitter nun gerade die Jesuiten treffen, sagte ich — und erinnerte mich an das Schicksal der Tempelherren. Welche besondere Gesellschaft, welcher Orden, welche Gemeinheit hat, nach dem Verhältniss der Umstände, w e n i - g e r Böses, und welche hat, auf der andern Seite, m e h r Rühmliches und Gutes gethan? Welcher Orden ist nicht ehrgeizig und herrschsüchtig? Welcher wünscht nicht angesehen, reich und mächtig zu seyn? — Indessen, da es dem Schicksal, Clemens dem XIV., den ich sehr verehre, und den vornehmsten katholischen Fürsten beliebt hat, dem heil. Ignaz von Loyola den Gehorsam so nachdrücklich aufzukünden; so sage ich mit aller Zufriedenheit eines überzeugten Optimisten, ne sic quidem male, und wünsche Ihnen, mein liebenswürdiger Ex Jesuite, Ihnen und Allen, die Ihnen gleichen — möchten deren nur Viele seyn! — von Herzen zu einer Freyheit Glück, von welcher Sie einen so guten Gebrauch machen."

Auf die Anerkennung, welche Wieland im Folgenden dem Entwurfe Kleins zollt und auf den übrigen Teil dieses Briefes, der nur von der „Alceste" handelt, komme ich bei anderer Gelegenheit zurück.

Ein Jahr später, am 10. Dezember 1775, schrieb Wieland abermals an Klein,[1]) welcher ihm im August d. J. einen enthusiastischen Brief vor Allem über die Aufführung der „Alceste" geschrieben hatte. Wieland hatte an dem Eifer des jungen Gelehrten seine herzliche Freude, welcher ihm in Mannheim durch seine Vermittlung in den angesehensten Kreisen nur förderlich sein konnte. Auch bat er ihn wiederholt um Nachricht aus der Mannheimer Gelehrten- und Künstlerwelt für seinen Merkur.

Interessant ist für uns der Schluss des letzterwähnten

---

¹) Dieses Schreiben Wielands ist abgedruckt im Morgenblatt 1820, 2 No. 161 (S. 646) und in Maltens Bibliothek der neuesten Weltkunde 1840, 1 S. 380. Vgl. zu beiden Briefen Schnorrs Archiv f. Litteraturgesch. XV, S. 255 unter b.

Briefes und die Nachschrift desselben. Der erstere enthält ein treffendes Urteil Wielands über die Begabung des Malers Müller, welchem Klein „recht viel Schönes in seinem Namen sagen solle".[1]

Das P. S. bezieht sich auf den erst kurze Zeit in Weimar anwesenden G o e t h e. Wieland schreibt über ihn: „P. S. Dass G. schon über fünf Wochen hier ist, wissen Sie vermuthlich schon; und dass Er und Ich nicht nöthig gehabt haben, einander fünf Wochen lang alle Tage zu sehen, um Freunde zu werden, brauche ich einem Manne von Ihrer Empfindung wohl nicht erst zu sagen. Schiefköpfe und kleine Seelen werden gewaltige Klotzaugen darüber machen, und sich nicht in das Wunder finden können. G. ist, s o wie er i s t, alles zusammengenommen, das grösste Genie und zugleich einer der liebenswürdigsten Menschen unserer Zeit; und Herder und Lavater sind wohl die Einzigen, die ihm allenfalls die Königswürde der Geister, zu dieser unsrer Zeit, streitig machen können."

Mit dem Briefe Wielands vom 10. Dezember 1775 ist das mir bekannte Material der Correspondenz Wielands mit Klein erschöpft: dieselbe ist offenbar bald ins Stocken geraten, weil sich zweifellos ein Conflict zwischen Klein und Wieland entsponnen hat, der sich immer mehr zuspitzte.

Dass Wieland schon von Kleins „Günther", dessen Textbuch ihm der Verfasser jedenfalls zugeschickt hatte, nicht mehr erbaut war, beweist seine Aeusserung an Merck vom 13. Januar 1777, er wolle von der Anzeige der monströsen Oper Kleins im Merkur lieber absehen.[2] Mit Geringschätzung bemerkt er auch am 26. Mai 1777, bereits zur Zeit, da er seine „Rosamunde" am liebsten verwünscht hätte: „Ich werde Not haben, von Mannheim mit leidlichem

---

[1] Leider finden sich über die Beziehungen Anton Klein's zu dem Maler Müller nur vereinzelte Anhaltspunkte. Siehe: Schubart an Klein, 3. Oktober 1775 (Malten, Bibl. d. n. W. 2, 36) und 13. Dezember 1787 (1, 385).

[2] Wagner, Briefe von Merck 1835, S. 100.

2*

Anstand losszukommen: aber es muss doch gehen . . . .
pro futuro mögen sie sich an Mahler Müller und den Ex-
Jesuiten Klein halten und mich ungehudelt lassen." [1])

Die persönliche Berührung Wielands mit dem eitlen
Klein, welche zweifellos während Wielands Mannheimer
Aufenthalt stattgefunden hat, muss den ersteren ebenso wie
später Lessing von der Freundschaft mit Klein abgebracht
haben. Denn gerade nur bis zu dieser Zeit reicht das
Material, welches uns eine Annäherung beider Männer erwarten liess. Wieland hat auch niemals mehr eine Notiz
über Klein oder seine Thätigkeit in Mannheim in seinem
Merkur gebracht. Die ungünstige Recension der Mannheimer Klassiker im Merkur,[2]) an deren Herausgabe Klein
in erster Linie beteiligt war, mag die spätere Verstimmung
bereits vorbereitet haben. Die Bestätigung dessen, dass bei
dem unglücklichen Besuch Wielands in Mannheim auch der
völlige Bruch mit Klein erfolgt sein muss, ergiebt sich auch
aus den Beziehungen auf Klein in Wielands „Geschichte der
Abderiten".

4.

Beziehungen zu Schubart. [3])

Als Christian Friedrich Daniel Schubart
in der „Teutschen Chronik" die Begründung der Professur
der Weltweisheit und schönen Wissenschaften zu Mannheim
i. J. 1774 freudig begrüsste, kannte er den Inhaber der-

---

[1]) Wagner 1838, 93.
[2]) 1778. 2, 188. 292.
[3]) Vgl. zum folgenden: Strauss-Zeller Ch. F. D. Schubarts Leben in
seinen Briefen, 2 Aufl. und Hauff „C. F. D. Schubart" 1885.

selben, welchen er mit aufmunterndem Lob bewillkommnete,
noch nicht.[1]) Aber Klein versäumte es nicht, sich alsbald
seinem berühmten Recensenten in einem Schreiben bekannt
zu machen, auf welches Schubart mit einem Briefe vom
3. Oktober 1774 aus Augsburg antwortete.[2]) Dies war der
Anfang eines langen litterarischen Verkehrs beider Männer,
der auch des freundschaftlichen Charakters nicht entbehrte.
Dem feurigen, patriotischen Schubart gefiel das erste Schreiben Kleins ausserordentlich: „Ihr Brief verräth einen Mann,
erwidert er ihm, der nicht erst seit gestern mit den schönen
Wissenschaften bekannt ist, und der sichs zur Freude macht,
für die Ehre der Muse zu eifern. Fahren Sie fort, als deutscher Biedermann den Musen zu huldigen und den Geschmack
am Schönen und Guten unter ihren Landsleuten zu verbreiten. Seyn Sie für die Pfalz, was Sonnenfels für Oest-
reich war. Spielen Sie so lange und in so vollen Akkorden
auf Orpheus Leyer, bis der Fels springt, und der Baum
tanzt . . . ." „Ich fühle eine gewisse Lebenswärme an
Ihnen, schreibt er ein andermal, (Ulm, am 25. August
1775),[3]) die für Ihre Zöglinge und überhaupt für die Pfalz
sehr heilsame Folgen haben kann. Ein Mann, der, wie Sie,
in französischer Luft wandelt, ohne angesteckt zu werden,
verdient in der That meine Achtung."

Doch hatte Schubart für die deklamatorische Neigung
Kleins nichts übrig: „Ueberdiess ist mir der Brief [über die
Vorstellung der Alceste] zu deklamatorisch. Eine Hand
voll kritisches Salz drein gestreut, wäre mir lieber gewesen,"
bemerkt er offen in demselben Schreiben.

Einem Briefe Schubarts an Klein vom 3. Oktober 1775

---

[1]) Bei Schubarts erstem Besuch in Mannheim im Mai 1773 (Leben
und Gesinnungen I, 185 f.) war Klein noch nicht in die Pfalz zurückgekehrt.

[2]) Abgedruckt im Morgenblatt 1820, 2, S. 919. Die Jahreszahl ist
verdruckt, wie auch aus dem Inhalt des Briefes selbst hervorgeht. Nur
Goedecke (Bibliographie zu Schubart) citiert den Brief, jedoch ohne diese
Berichtigung.

[3]) Morgenblatt 1820, 2 S. 923. Nur von Goedecke citiert.

aus Ulm [1]) entnehmen wir, dass Klein in dem Sommer d. J.
eine näher nicht zu verfolgende Reise unternommen hat, auf
welcher er Schubart in Ulm besucht zu haben scheint. Derselbe enthält nachfolgende Einleitung und Improvisation auf
Klein: „Sie werden nun wohl, würdiger Freund, von Ihrer
Reise zurückgekommen seyn, und wieder am Pult sitzen
und schreiben und den Panzer gegen die Pfeile der Barbarei
umlegen?

> Stürz herunter das Kolossenbild
>   fremder Barbarei!
> dass es brüllt — im Falle brüllt,
>   dass es Schutt im Thale sey.
> Führ den Jüngling an den Trümmern
>   stolz vorüber — zeig ihm bald
>   in Thuiskons Eichenwald
> Hermanns Krone schimmern! —
> Zeig ihm dann den Silbermond
> wo ein Heinrich thront,
> wo der Denker Leibniz wohnt —
>   Und die Wellen von dem alten Rhein
>   schlagen Beifallbrausend drein,
>   Wann der Lehrer Klein
>   Deutsche fleht — sie sollen Deutsche seyn.

Doch die Verse wollen nicht gehen; also lieber in derber
Prosa gesagt, dass Sie Ruhm und Belohnung von Ihrem
Vaterlande verdienen, weil Sie sich der Erziehung deutscher
Jünglinge so heiss, so vatterländisch annehmen."

Seit dieser Zeit hat beide Männer ein freundschaftliches
Verhältnis mit einander verbunden. Es wird über dessen
Fortbestehen in einem späteren Abschnitt berichtet werden.

---

[1]) Abgedruckt bei Malten Bibl. d. n. W. 2, 36; Strauss-Zeller 2.
Aufl. 1, 221.

5.
Zweite Mannheimer Periode.
(1775—1777.)

Klein versäumte inzwischen nichts, was ihn in der Gunst des Kurfürsten und des Mannheimer Publikums befestigen konnte. Als Karl Theodor im Sommer 1775 von einer schweren Krankheit geheilt aus Italien zurückkehrte, feierte er dessen Genesung auf überschwengliche Weise. Er besang dieselbe in einer Ode und hielt im Kurfürstlichen Collegium eine Lobrede auf den „grosen Kuhrfürsten".

Oeffentliche Prüfungen und die Herausgabe der Arbeiten seiner Schüler in der „Sammlung zur Aufmunterung des guten Geschmacks in der Pfalz", trugen seinen Bemühungen allgemeinen Beifall ein: „Ich hatte Anfangs nicht mehr als acht Zuhörer, berichtet er, von denen man noch dazu wegen ihrem geringen Alter sehr wenig erwarten konnte. Allein ihre Fähigkeit, ihr Fleiss und die Art des Unterrichts ersetzten die Jahre, die sie noch nicht erreichet hatten. Sie haben vor einer ansehnlichen Versammlung gelehrter Männer und Herren vom ersten Range Proben davon abgeleget. Von der Zeit an haben sich meine Zuhörer vermehret, und es hat das Ansehen, als wollte aus dieser anfangs so kleinen Quelle ein Fluss entstehen."

Schon im zweiten Jahre zählten die Söhne der angesehensten Familien und selbst Prinzen zu seinen Schülern. In der erwähnten Sammlung aus dem Jahre 1776 sind als Verfasser der betreffenden Aufsätze u. A. genannt: Joh. Nic. von Stengel, J. H. von Beckers, J. L. von Castell, Jos. Lamb. Freiherr Staell von Hollstein, Joseph von Klein,[1]) Franz, Ferd. und H. v. Scherern, Joh. Bapt. Verazi, mehrere

---

[1]) Wahrscheinlich ein Sohn des späteren Vizekanzlers von Klein.

Kadetten und Bürgerliche. Unter letzteren befanden sich auch zwei Hörer, welche Klein schon in der dritten Klasse der Jesuitenschule unterrichtet hatte: Peter Wolfter und Joseph Wreden.[1])

Kaum hatte Klein die Gunst des Publikums errungen und die ersten Erfolge erzielt, als er aufs Neue den Versuch machte, in Anbetracht derselben eine Verbesserung seiner Verhältnisse herbeizuführen.

Seine freundschaftlichen Beziehungen zu den einflussreichsten Männern des Hofes und der Regierung kamen ihm dabei zu Hülfe. v o n B a b o , der Vorsteher der Verwaltung in Angelegenheiten des erloschenen Jesuitenordens, förderte ein abermaliges Gesuch i. J. 1776 um eine weitere Zulage über die bereits ihm zukommenden 500 Gulden, indem er das Zeugnis ausstellte, dass Klein „durch fleissige und eifrige Verwendung, auch bewährte Geschicklichkeit bei der Jugend, durch Beibringung solch schöner Wissenschaften ungemeinen Nutzen verschaffen und dadurch in der Folge dem Vatterlande und dem Staat gute Bürger bilden werde."

Daraufhin wurde Klein (im April 1776) von dem Kurfürsten eine Zulage von 200 Gulden bewilligt. Seine Vorlesungen hielt er fortan gänzlich unentgeltlich, was er um so mehr hervorhob, als dieselben „öffentlich und frei waren und Jedermann wie und wann er wollte, bei ihm erscheinen konnte."

Inzwischen war in Mannheim ein neues bedeutendes Unternehmen zur Pflege der Muttersprache und Litteratur ins Leben getreten: die deutsche Gesellschaft.

Am 13. Oktober 1775 war sie von dem Kurfürsten bestätigt worden und hatte noch in demselben Monat ihre Sitzungen begonnen. Klein war ihr als eines der ersten Mitglieder beigetreten und nahm an ihrer Fortbildung lebhaften Anteil.

Hand in Hand mit der Verwirklichung der Ziele der deutschen Gesellschaft gingen die Vorbereitungen für die

---

[1]) Sie hatten in seinen Jesuitenschauspielen mitgewirkt.

Errichtung der deutschen Nationalschaubühne, an welchen Klein ebenfalls beteiligt gewesen ist. Durch litterarische und dramaturgische Arbeiten, besonders aber durch die Abfassung des ersten deutschen Singspieles trug er zur Entwicklung des Nationaltheaters das Seinige bei.

Die Aufführung seines Singspiels „G ü n t h e r   v o n   S c h w a r z b u r g" im Ianuar 1777, hatte einen ausserordentlichen Erfolg. Derselbe leitete das letzte Jahr, in welchem sich Mannheim der Anwesenheit des Hofes erfreute, verheissungsvoll für die Zukunft der deutschen Oper ein und begründete das Glück des Dichters. Bei der Aufführung nahm man die an sich äusserst schwache Dichtung, deren Mängel über der aufflammenden Begeisterung für die vaterländische Kunst übersehen wurden, mit Jubel auf. Dem Dichter fielen dieselben Ehren anheim wie dem Komponisten, welcher das Beste an dem Werke geleistet hatte.

Klein erntete eine Fülle des Dankes und der Auszeichnungen. Die anwesenden fremden Fürstlichkeiten — es sollen deren dreissig gewesen sein — überhäuften ihn mit Lobeserhebungen und kostbaren Geschenken. Der Kurfürst ernannte ihn zum geheimen Sekretär, erhöhte seinen Gehalt und würdigte ihn seines vertrauteren Umganges. Klein begab sich wöchentlich zweimal zu ihm ins Cabinet, wo er der Beurteilung dieses aufgeklärten Fürsten bald den Plan einer neuen litterarischen Unternehmung, bald ein geistvolles Gedicht oder ein sonstiges gelungenes Produkt seiner Muse vorlegte, und von ihm stets auf das huldreichste ermuntert wurde. Zuweilen vertieften sie sich in belehrende Gespräche über Künste, Litteratur u. dgl. Oft war selbst Politik der Gegenstand ihrer Unterhaltung.[1])

Klein hatte sein Singspiel auch an diejenigen der auswärtigen Fürsten eingeschickt, bei denen er eine geneigte Aufnahme erhoffen konnte.

Die Fürsten von S c h w a r z b u r g , Ludwig Günther (Rudolstadt) und Christian Günther (Sondershausen), deren

---

[1]) L. L. Anm. S. 22.

Vorfahren er in seiner Dichtung verherrlicht hatte, zeigten sich ihm besonders dankbar.

Christian Günther liess sich die Musik zum Singspiel nachsenden und dem Dichter einhundert Gulden „als ein geringes Merkmahl der aufrichtigen Erkenntlichkeit" übersenden.[1]) Ludwig Günther liess ihm ein Service aus seiner fürstlichen Porzellanfabrik sowie sein und des Erbprinzen Portrait überschicken. Der Cabinetschef dieses Fürsten G. W. Wurmb schrieb ihm bei dieser Gelegenheit, er habe einen „Einfall", den er ihm mitteilen wolle: „Es wird Ew. Hochedelgeboren vermuthlich bekannt seyn, dass das hiesige fürstliche Haus, die Gerechtsame hat Comites Palatinos zu creiren, sollte nun Ew. Hochedelgeboren vielleicht mit einem solchen Comitiv gedient seyn, so bitte mir einige wenige Nachricht aus, so will ich es schon einliefern, dass Ew. Hochedelgeboren solches ohne allen Entgeld des nächsten zugeschickt werden soll. Ew. Hochedelgeboren können Sich mir sicher anvertrauen, indem wenn Ihnen dieses Comitiv nicht angenehm wäre, niemand weiter von diesem meinen Vorschlag erfahren soll."

Klein griff zu, und so erfolgte am 30. Juli 1777 seine Einsetzung „in die Ehre und Würde der Kayserl. Pfalz- und Hofgrafen, so zu Latein comites palatini genannt werden."[2])

---

[1]) Sämmtliche diesbez. Schriftstücke in der K. U. u. L. B. Strassburg.

[2]) Die Urkunde besitzt die K. U. u. L. B. Strassburg (L. Alsat. 1107). Sie besteht aus 6 Blättern, ist schön auf Pergament geschrieben und trägt auf dem Titelblatt das kalligraphisch kunstvoll ausgeführte Wappen des Verleihers Ludwig Günther, Fürst zu Schwarzburg-Rudolstadt, und dessen eigenhändige Unterschrift. — Die Würde des Comes Palatinus war eine damals übliche Auszeichnung. (S. auch Berger-Levrault, Annales des Professeurs S. LVI Diploma comitivae Palatii de anno 1491 dgl. 1555.)

Die Kalligraphie und die Buchdruckerkunst stand in Rudolstadt in grosser Blüte. Auch die Mehrzahl der dreizehn in Strassburg befindlichen Briefe von den schwarzburgischen Fürsten zeichnet sich durch kunstvolle Initialen und schöne Schrift aus. Der Erbprinz Friedrich Karl schrieb im Jahre 1788 gelegentlich eines Buches seines Kammersecretärs Kämmerer, zu welchem dessen Bruder, der Hofmaler Kämmerer, die Kupfer gestochen hatte: „Das Werk ist hier gedruckt. Die hiesige Officin, in welcher

6.
Erbprinz Friedrich Karl
von Schwarzburg-Rudolstadt.

Die Aufführung seines Singspiels vermittelte Klein die Bekanntschaft des Erbprinzen Friedrich Karl von Schwarzburg-Rudolstadt. Als einer der answärtigen fürstlichen Gäste hatte er der erfolgreichen Aufführung des „Günther von Schwarzburg" beigewohnt. Während die regierenden Fürsten seines Hauses den Dichter durch ihre Gnade auszeichneten, fasste er selbst in jenen Tagen eine aufrichtige Freundschaft zu demselben, welche er in Zukunft mit treuer Anhänglichkeit pflegte.

Friedrich Karl [1]) war ein feingebildeter, in den Wissenschaften und Künsten wohl unterrichteter Fürst, ausgezeichnet durch ein feines Verständnis für die Poesie und die Musik — in beiden Künsten versuchte er sich auch selbst — und durch eine grosse Vorliebe für die Naturwissenschaften.

In seinen Briefen an Klein offenbart sich ein empfin-

Tag und Nacht 11 Pressen beschäftigt sind, hat diesen grossen Vortheil, dass eine sehr schöne Schrift-Gieserey, die man an den grössten Orten Deutschlands vermisst, hier befindlich ist, die mit der Leipziger Breitkopfischen Handlung in starker connexion steht; Ueberhaupt deucht mich ohne Parteylichkeit glauben zu dürfen, dass Papier, Druck, Kupfer-Stich und Band, unsern hiesigen Künstlern keine Schande macht."

[1]) geb. am 7. Juni 1736, gest. am 13. April 1793. Er regierte erst vom 29. August 1790 an, nahm aber schon während der letzten Lebensjahre seines Vaters Ludwig Günther II. (1767—1790) an der Regierung teil. Ihm folgte sein trefflicher Sohn Ludwig Friedrich II. (1793—1807). Junghans, Geschichte der Schwarzburgischen Regenten, S. 376. Apfelstedt, Geschichte des Schwarzburgischen Hauses S. 122 f. Die K. U. u. L. B. Strassburg besitzt 8 eigenhändige Briefe von ihm an Klein, von welchen 7 aus den Jahren 1777—1781, der letzte aus dem Jahre 1788 stammt.

dendes Gemüt [1]) und eine ungezwungene, herzliche Art des Verkehrs.

In litterarischen Dingen betrachtete er Klein als seinen Lehrmeister. Dieser musste ihm jede seiner neuesten Erscheinungen zusenden und konnte stets ihrer freundlichen Aufnahme von Seiten des Fürsten gewiss sein. Der Erbprinz sandte dafür Klein, welcher es an lebhafter Aufmunterung nicht fehlen liess, eine Zeit lang eigene litterarische Arbeiten zur Ueberprüfung ein, musste aber schon i. J. 1778 zugestehen, dass „seine Poesie allmählich einroste".

Bald nach seiner Rückreise von Mannheim i. J. 1777, wo er eben die Freundschaft mit Anton Klein geschlossen hatte, schrieb der Erbprinz (am 1. April 1777), „nun überdenke er erst in der Stille alle die vergnügten und für ihn so lehrreichen Augenblicke, welche er in der Gesellschaft des Verfassers jenes tapferen teutschen Biedermannes Kayser Günthers zugebracht habe": „Noch gedenke ich mit dankbarlicher Erinnerung an alle vergnügte Stunden Freundschaft und unverdiente Höflichkeit so ich in diesem gesegneten Lande genossen, und wo geniesst man Ihrer mehr als in Mannheim. Ist diese Residenz unter der glorreichen Regierung Ihres weisen Theodors ein zweytes Athen, so ist Sie nicht weniger in Absicht Ihrer Urbanitaet, und von den Alten so belobten Hospitalitaet ein zweytes Lacedaemon. Dieser menschenfreundliche Fürst begnügt sich nicht allein ein grosser Herr zu seyn, Er ist auch ein grosser Mann. So ein August verdient von Marone besungen zu werden, und diesem Trajan macht jeder Ausländer die ungeschmeichelste Panegyrie." — Ueber L e s s i n g , W i e l a n d und G o e t h e macht der Fürst in demselben Briefe die nachstehenden zeitgemässen Bemerkungen: „An H. L e s s i n g machen Sie eine grosse acquisition — doch sollte mich es wundern, wenn

---

[1]) Besonders in dem Briefe vom 20. Juni 1778 und in demjenigen aus dem Jahre 1788, in welchen er seiner Trauer über den Verlust zweier Verwandten Ausdruck verleiht.

sie ihn in Braunschweig wegliessen, so einen Bibliothecar
kriegen sie zu ihrer vortrefl. Bibliothec nicht wieder.

W i e l a n d wird durch G ö t h e n in Weimar sehr verdrängt, wenn letzterer ein Gestirn ausmacht, so gehört er wohl
unter die Licht- und Sternschnuppen, mehr eine étoile errante
als ein Stern erster Grösse, er macht aber viel Lerm."

Warme Worte richtet er an Klein anlässlich des Ver-
lustes, welchen Mannheim durch die Verlegung der Residenz
Karl Theodors nach München erlitt: „Das Schicksal des armen
Mannheim, — so heisst es in einem Briefe vom 16. Januar
1779 — welches nebst dem Missvergnügen Ihren theuresten
Carl Theodor nicht mehr so oft zu sehen, auch des glänzenden Titels einer Residenz verlieren soll, bedauere ich herz-
lich. Es wird einen grossen Einfluss auf Künste und Wissenschaft auf den schönen Ort und die ganze Nachbarschaft
haben, besonders wird die aufgekeimte Teutsche-Schaubühne
ihren Protectorem und Nutritorem vermissen."

Als ein weiteres Beispiel möge hier noch eine für die
Charakteristik S c h w e i t z e r 's , des Componisten der
„Rosamunde", wertvolle Bemerkung aus dem Briefe des
Fürsten vom 20. Juni 1778 Platz finden. Der Fürst schreibt
nämlich über denselben: „Schweizer ist nunmehr würkl.
Gothaischer Capellmstr: Er hat den fürtrefl. Ton-Künstler
den alten Benda dortselbst weggebissen; da Er gewohnt ist
überall Cabalen zu machen wo er hinkömt, so wird Er sich
auch nicht lange an diesem Hofe souteniren."

7.
Dritte Mannheimer Periode.
(1778—1779.)

Für Mannheim und die ganze Pfalz trat mit dem Beginn des Jahres 1778 ein gänzlicher Umschwung der Verhältnisse im öffentlichen, wie im privaten Leben ein: Durch den Tod des Kurfürsten M a x i m i l i a n   v o n   B a y e r n am 30. Dezember 1777 war Karl Theodor auf Grund der Erbverträge sein Nachfolger geworden. Ohne einen Tag zu verlieren, reiste er sofort nach München ab und kündigte gleichzeitig die Verlegung des ganzen Hoflagers in die neue Residenz an. Mit Bestürzung nahm die Bevölkerung Mannheims diese Nachrichten auf. Leidenschaftliche Kundgebungen verliehen den durch eine ungeheure Erregung in das Unmässige gesteigerten Befürchtungen für die Zukunft der Stadt und des Landes gewaltigen Ausdruck.[1])

In der That, von Allem, was Mannheim zu einer Quelle des Reichtums gemacht und ihm den Ruf eines zweiten Athens eingebracht hatte, blieb fast nur die Erinnerung zurück. War schon das ganze öffentliche Leben auf das Härteste betroffen, wie schwer musste der Verlust in den Kreisen der wenigen zurückgebliebenen Gelehrten und Künstler empfunden werden!

3000 Seelen waren mit dem Hofe hinausgezogen, der grösste Teil des Adels, die einflussreichsten Männer, ja selbst die Künstler und Musiker hatten der verlassenen Residenz den Rücken gekehrt und waren ihrem hohen Gönner in einen neuen Wirkungskreis nachgefolgt. Was man an Kunstschätzen und Einrichtungen hatte fortschaffen können, war mitgenommen worden.

---

[1]) Heigel, Stengels Memoiren, Zeitschr. f. allgem. Gesch. IV. 1887, S. 453 f. u. 549 f.

Mehr denn je ruhte jetzt die Zukunft der Kunst und Wissenschaft auf der Leistung des einzelnen Mannes. Anton Klein hat sich durch seinen unermüdlichen Eifer gerade in diesen Jahren entschiedene Verdienste um ihre Fortentwicklung erworben. Mit staunenswerter Energie hat er eine rastlose und vielseitige Thätigkeit in diesem Sinne entfaltet. Nunmehr beginnt seine Mitarbeiterschaft an den litterarischen, von patriotischen Tendenzen getragenen Zeitschriften und an dem weittragende Bedeutung gewinnenden Werke der Deutschen Gesellschaft. Eine ausgedehnte litterarische Correspondenz verbindet ihn mit Fürstlichkeiten, Staatsmännern, Gelehrten und Dichtern.

Die Notwendigkeit, seine eigene Existenz wieder zu sichern und durch aussergewöhnliche Anstrengungen einen frischen Zug in das geistige Leben der Pfalz zu bringen, brachte ihn auf grosse geschäftliche Unternehmungen, welche freilich mit ihrem glücklichen Gelingen den Eigennutz bei ihm immer mehr hervortreten liessen.[1])

Er begründete nämlich i. J. 1778 mit dem Legationsrat- und Postsekretär Johann Caspar Becké die G e s e l l - s c h a f t d e r H e r a u s g e b e r d e r a l t e n k l a s s i - s c h e n S c h r i f t s t e l l e r u n d a u s l ä n d i s c h e n s c h ö n e n G e i s t e r zu Mannheim. Beide schlossen, nachdem ihr erster Buchhalter Kramer mit dem Hof nach München abgegangen war, mit einem gewissen Schmülling aus Gönheim bei Mannheim, [2]) welcher das erforderliche Kapital stellen sollte, am 17. August 1778 einen Vertrag, nach welchem Schmülling als Kassierer und Buchhalter angestellt wurde und dafür ein Jahresgehalt von 440 Gulden erhalten sollte. Schmülling verpflichtete sich seinerseits, den Herausgebern 2000 rhein. Gulden baar vorzuschiessen, welche ihm mit 6 Proc. verzinst werden sollten. Schmülling zahlte zu-

---

[1]) Die Darstellung der geschäftlichen Unternehmungen Kleins im folgenden beruht ausschliesslich auf bisher unbenutzten Akten des G. L. A. Karlsruhe. Auch im L. L. ist von denselben nirgends die Rede.

[2]) wol.l Rheingönnheim.

nächst 1000 Gulden im Voraus. Schon dieser Vertrag giebt eine Andeutung über den Umfang des Geschäftes, indem bei der Verantwortlichkeit erwähnt wird, dass dem Kassierer jährlich 24 000 bis 30 000 Gulden ganz gewiss durch die Hände laufen werden.

Die Herausgeber besorgten, dass ihre Sammlung von gewinnsüchtigen Leuten unter verschiedenen Formaten nachgedruckt werden könnte; deshalb kamen sie um ein kaiserliches Privilegium ein. Thatsächlich wurde am 17. Juli 1778 „dem Becké, Klein und übrigen Gesellschaft" das Kaiserliche P r i v i l e g i u m impressorium für die Sammlung der alten klassischen Schriftsteller in Oktavo auf zehn Jahre erteilt.[1]

Bereits im Oktober 1778 entspann sich zwischen Klein und seinem Associé Becké ein vorübergehender Zwist, welcher noch gütlich beigelegt werden konnte. Aber da jeder der Teilhaber vor allem auf seinen eigenen Vorteil bedacht war, so währte der Friede nicht lange. Schon im Jahre 1779 überwarf sich Klein nicht nur mit Schmülling, welcher seinen Zahlungsverpflichtungen nicht nachzukommen gewillt war, sondern es kam noch während der Verhandlungen über die Abfindung mit demselben ein vollständiges Zerwürfnis Kleins mit seinem Associé Becké hinzu. Becké, welcher mit seinem Gewinnanteil an dem Unternehmen unzufrieden war, schied aus dem Vorstand aus und trat in die Pfalzzweibrükkische Gesellschaft gleichen Namens über. Zugleich suchte er durch die Angabe, Klein habe die Herausgabe der klassischen Schriftsteller vollständig abgegeben, die Collecteurs irre zu leiten und zur Abnahme der Zweibrückischen Ausgaben zu bestimmen. Da er auch unrechtmässiger Weise Gelder einkassiert hatte, so betrat Klein den Rechtsweg und betrieb die Klage mit allem Nachdruck, bis die Sache vor den Kurfürsten kam. Die Besorgnis, des glänzenden Geschäftes verlustig zu gehen — nach seiner eigenen Angabe (am 10. Oktober 1779) handelte es sich damals bei dem Verlag um einen

---

[1] K. U. u. L. B. Strassburg, L. Alsat. 1106, unter den Briefen an Klein.

Gegenstand von 16 000 Gulden —- liess Klein auf das Aeusserste dringen.

Der Kurfürst ordnete eine schleunige Untersuchung durch eine Commission an. Es kam sogar zu einer Haussuchung bei Becké. Dieser beschwerte sich zwar, „dass es der Ehre eines von dem hochfürstl. Anspachischen Hof dahier accredirten Residenten allzu nahe gehe" als Betrüger hingestellt zu werden, und dass man, obwohl er sein Nichterscheinen bei Gericht vorher entschuldigt hatte, „demohngeachtet mit actuario und Botten in seine Behausung gekommen sei," somit ein Mittel angewandt habe, „das nur gegen jene der Flucht oder sonst Verdächtige vorgekehrt zu werden pflegt" — aber man hörte ihn nicht.

Klein verlangte, um in der Zwischenzeit infolge der wachsenden Verwirrungen keine neuen Verluste zu erleiden, die schleunige Untersuchung vor der Commission remotis advocatis, „da Advokaten bei der Sache nichts als weitläufige Verwirrungen anstiften könnten, die ganz gewiss alles verderben." Ja, er verlangte noch während der Verhandlungen, dass man, „ob summum in mora periculum in die Mannheimer und in die Frankfurter Reichspostzeitung eine Warnung vor dem betrügerischen Associé einrücke." Da mehrfache schriftliche Belege, zum Teil von Beckés eigener Hand, gegen den Angeklagten zeugten, wurden auf kurfürstlichen Befehl, um dem Schaden, welcher dem Unternehmen entstanden war, abzuhelfen, die Collecteurs durch ein Circular aufgeklärt, dass Klein der Leiter des Geschäftes geblieben sei und nur die Spedition der klassischen Schriftsteller an die akademische Buchhandlung übertragen habe. Beckés Reclamation wurde abgewiesen, wiewohl er in derselben nicht mit Unrecht die Gewinnsucht Kleins unverhohlen als den Anlass des Zerwürfnisses hinstellte: „Die wahre Absicht des Klägers ist und bleibt immer, mich zu Grunde zu richten, mich von aller Beziehung des mir gebürenden Anteils zu entfernen, und sich allein allen Vorteil zuzuwenden. Ein Beweiss davon ist, da er nur allein für an-

3

gebliche Verbesserungen über 3000 Gulden anrechnet, wofür
er nicht einen Bazen verdient. Ich im Gegenteil kann beweisen, dass ich das ganze Geschäft errichtet, die Kollekteurs
angestellt und Subscribenten angeworben. Gegen all dieses
habe ich von dem Kläger jetzt nichts als Undank und Schaden
zur Belohnung zu erwarten."

Von der Aufregung, in welche Klein dieser Process ver-
setzte, und dem Umstand, dass er an seinen persönlichen Be-
ziehungen einen grossen Rückhalt hatte, giebt nachfolgender
Brief ein Zeugnis, welcher wahrscheinlich an den Herrn v o n
W e i l e r gerichtet wurde: „Die Briefe der Collecteurs, die
in der äussersten Verwirrung sind, häufen sich täglich, und
ich bin schon wirklich in einen unersetzlichen Schaden gesetzt.
Ich weis mir nicht mehr zu helfen. Ich war bey Herrn Minister
H. geh. Staats-R. von Stengel und H. g. Staats-R. von
Hertling; sie sahen alle meine traurige Lage ein; aber ohne
Eur. Hochwohlgeboren war keine Rettung. Das Rescript
war Sonntags schon ausgefertigt. Jetzt bitte ich Eure Hochwohlgeboren unterthänigst um Beystand. Ich sende denselben, was ich in die montägige Zeitung habe setzen wollen,
aber ohne Eur. Hochwohlgeboren nicht hineinsetzen konnte.
Die erste Zeitung ist das einzige Mittel, den Herrn von
Stengel [1]) und mich zu retten, wenn es nicht gar schon zu
spät ist. Wenn ich gerettet werde, wenn ich meine Gesundheit erhalte, die mir der Kummer zu rauben anfängt, so werde
ich es blos Eurer Hochwohlgeboren zu verdanken haben."

Klein war unzweifelhaft nur auf seinen eigenen mate-
riellen Vorteil bedacht. Er hatte auch allen Anlass, sich
Geld zu verschaffen, denn ein Vorschuss von 900 Gulden,
den er sich im Jahre 1777 auf beliebige Zeit aus der kurfürstl. Generalkasse genommen hatte, war noch nicht zurück-
erstattet und blieb noch bis zum Jahre 1780 ausständig.

Ein Jahr lang hatte der unangenehme Process gedauert,
und Klein musste darauf sinnen, das Geschäft durch neue
Unternehmungen zu heben. Zunächst dachte er an die H e r -

---

[1]) Derselbe war für Klein eingetreten.

ausgabe einer Uebersetzung der heiligen Schrift und schrieb deswegen an den Kurfürsten am 15. Juni 1779 nachfolgende Eingabe:

„Bisher sind mehrentheils kaum erträgliche Uebersetzungen des neuen Testamentes unseres Heilandes erschienen, oder in solchem Preise verkauft worden, dass der gemeine Mann dieses für ihn fast einzig und allein nützliche Werk, das seyn tägliches Lesen seyn sollte, nicht kaufen konnte. Daher es oft geschehen, dass er seine Zuflucht zu Biblen anderer Religionen nahm, bey denen schon mehrere Ausgaben um einen geringen Preis durch den Beyschuss der Wohlthätigkeit sind gemacht worden. Es kömmt mir nicht zu, zu bestimmen, wie viel Ehre dieser Vorzug den Protestanten vor den Katholischen mache. Ich bin entschlossen, eine Herausgabe dieses so nothwendigen und heiligen Buches zu veranstalten, die um den möglichst geringsten Preis (denn wahrscheinlich wird das ganze Buch für 36 kr. verkauft werden) soll gegeben werden; und da meine Absicht nicht mein eigner Nutzen ist, sondern auf Verdrängung der Vorurtheile, gründlichere Kenntniss des Christenthums und Verbesserung der Sitten geht, so werde ich die Einrichtung so treffen, dass auch die Armen, die dieses Werk nicht kaufen können, desselben theilhaftig werden. Denn z. B. an einem Orte, wo 100 Stücke abgesetzt werden, lasse ich 15—20 Stücke umsonst unter die Armen austheilen.

Damit aber diese so nützliche Unternehmung vor Nachdruck und allen Anfällen gesichert, auch wegen der grossen dazu erforderlichen Kosten, eines guten Absatzes versichert sey: so bitte ich Eure kurfürstliche Durchlaucht unterthänigst um eine gnädigstes Privilegium und zugleich um ein gnädigstes Rescript an alle Pfarrer und geistlichen Vorsteher und Seelsorger, dass sie diese Herausgabe ihren Gemeinden und Anvertrauten verkündigen und empfehlen, die Namen der Bürger, die diese Kleinigkeit für ein so kostbares Werk verwenden wollen, aufzeichnen, und sammt der Zahl der Armen in einer jeden Gemeinde an mich einschicken." Man sieht mit welchem Geschick Klein hier einen fertigen Plan in seiner, die guten

3*

Seiten stets übertreibenden Darstellungsweise, zu empfehlen, und damit seinen Vorteil zu verbinden verstand.

Der Kurfürst forderte von den kurpfälzischen Regierungsräten von Geiger, von Lamezan und den geistlichen Geh. Räten Foller und Haeffelin senior ein Gutachten über die Zweckmässigkeit des Klein'schen Unternehmens.

Die Verhandlungen über diesen Gegenstand beweisen zugleich, mit welcher Pedanterie und Vorsicht die katholische Schulverwaltung jener Zeit vorzugehen pflegte. Die oben genannten Männer erklärten, dass schon von der Schulcommission im Voraus die Verabredung gemacht worden war, zum Besten des Schulfundus und der armen Kinder sämmtliche Schul-Lese- und Religionsbücher verfassen, resp. neu abdrucken zu lassen.

„Und hierunter bezielet man auch seinerzeit die Herausgab eines in guter Teutscher Sprach zusammengetragenen neuen Testaments, wobey die Vorsicht ohnumgänglich nothwendig, dass nichts zum Nachtheil unserer heiligen Religion [1]) dabey versehen werden möge, alss wozu die Verwendung von Männern Tiefer und geprüfter Gottesgelehrtheit erforderlich ist. Und da wir dem tit. Klein ohne selbigem sonst zu nahe tretten zu wollen, diese Geschicklichkeit nicht zutrauen mögen, dessen Vorhaben auch bewandten Umständen nach überflüssig erscheinet, so mag er hiernach ohnmassgebigst verbeschieden, allenfalls von Ihrer Kurfürstlichen Durchlaucht gnädigst angewiesen werden, dass er als bestellter und besoldeter Lehrer der schönen Wissenschaften, etwa Ein in sein Gefach einschlagendes Gutes und zur Befähigung der Jugend nützliches Buch abfassen, und damit seinen Eyfer für das beste der Jugend bethätigen möge."

Infolgedessen traf am 11. September 1779 ein abschlägiger Bescheid vom Kurfürsten in Mannheim ein, und Klein musste diesen Plan wieder aufgeben.

---

[1]) Vgl. die Vorschrift in den Satzungen der deutschen Gesellschaft. Seuffert, Anz. f. d. A. 6. 1880, S. 279.

8.

Babo.

J o s e p h M a r i u s v o n B a b o ,[1]) einer der bekannteren Vertreter des Ritterdramas, war mit Anton Klein eng befreundet. Die Geistesverwandtschaft beider Männer, besonders gekennzeichnet durch die ihren dramatischen Dichtungen eigene Neigung zum Historisch-Nationalen, muss sie schon früh zusammen geführt haben, schon damals, als Babo bald nach 1774 als Sekretär an die Mannheimer Bühne berufen wurde.

Unsere litterarische Quelle setzt allerdings erst ein Jahrzehnt später ein — sie besteht aus einigen Briefen Babo's welche begreiflicher Weise alle erst aus der Zeit nach dessen Uebersiedlung in die bairische Residenz (1784) stammen — aber wir haben damit auch sofort untrügliche Zeichen vertrauter Freundschaft vor uns.

Der Briefwechsel ist ein ausschliesslich litterarischer: die Dichterfreunde teilen einander ihre neuesten Werke und Pläne mit; als Litteraten unterstützen sie sich gegenseitig mit Rat und That. Der erste uns zur Verfügung stehende

---

[1]) Siehe Allg. Deutsche Biogr. 1, 726. A. Hauffen in Kürschners Nationallitteratur 138. Band, S. 10 ff. Goedeke 5, 259 und 262. Ueber sein Drama Otto von Wittelsbach: Otto Brahm, das deutsche Ritterdrama, Quellen und Forschungen XL. Band. von Babo (geb. 1756, gest. 5. Febr. 1822) wurde wie Klein 1791 geadelt, war 1792—1810 Leiter der Münchner Hofbühne. von Stengel schreibt in seinen Memoiren (Heigel, Zeitschr. f. allg. Geschichte IV 1887, S. 450) in verächtlicher Weise über die Art, auf welche Babo zu Ansehen gekommen sei: „Babo's Schwester war einst Oberndorfs Mätresse und Köchin, und wegen dieser hat er ihn vom Livreebedienten bis zum Churfürstlichen geheimen Rathe zu befördern gewusst, wo er denn nicht aufhörte, des Ministers geheime Einnahmen zu befördern und Pläne bey den Kollegien, so viel er mit seinem schwachen Verstandesvermögen konnte, durchzusetzen."

Brief Babo's stammt aus München vom 3. November 1779.[1]) Babo giebt in demselben zunächst seiner Entrüstung über eine Kritik seines Trauerspiels (Dagobert der Franken König München 1779) von Seiten P. Westenrieder's und Baptist Strobl's [2]) Ausdruck, die er auch von Stengel, deren Freund, gegenüber geäussert habe.

Aus dem weiteren geht hervor, dass Klein das Drama Babo's gedruckt und verlegt hatte: „Ich bitte Sie, dem Hofbuchhändler Huber in Coblenz auch ein Averdissement zu senden. Er wird 600 Exemplare zum Verkauf in der dortigen Gegend, die sonst dem gelehrten Handel sehr ungünstig ist, übernehmen. Es ist mein Vaterland. Der Erlös ist zu einer frommen Pflicht bestimmt."

Einem zweiten Briefe an Klein (München, am 16. Juli 1780) [3]) können wir einige interessante Einzelheiten entnehmen.

Der geniale Schauspieler F r i e d r i c h L u d w i g S c h r ö d e r war auf seiner grossen Gastspielreise i. J. 1780, welche einem Triumphzuge glich, von Wien nach München gekommen. Hier hatte ihm Babo — der Otto von Wittelsbach war eine Glanzrolle Schröder's — Aufträge an Anton Klein nach Mannheim mitgegeben, wo Schröder zum Gastspiel Mitte des Juni eintraf.[4]) Obwohl Klein sicher mit Schröder zusammen gekommen sein muss, so erfuhr Babo nichts von der richtigen Ueberbringung seiner Nachrichten und schrieb an Klein am 16. Juli: „Ich hab Schrödern mehr für Sie aufgetragen, als ein Brief werth ist oder enthalten kan; und

---

[1]) Malten Bibl. d. n. W. 1, 479.
[2]) Verleger der bairischen Ritterdramen.
[3]) Malten, Bibl. d. n. W. 2, 343.
[4]) Siehe: F. L. W. Meyer, Friedrich Ludwig Schröder 1819, 1. S. 347 und B. Litzmann, F. L. Schröder 1894, 2 S. 288 ff., bes. S. 298 ff. H e i n s e schrieb auf seiner Rheinreise an Jacobi am 14. Juli d. J. aus Heidelberg: „In Mannheim bin ich sehr freundschaftlich von Seilern empfangen worden. Die ganze Gesellschaft sprach noch mit Entzücken und Bewunderung von Schrötern, so wie ganz Mannheim, der vor acht Tagen von hier weg war." (W. Körte, Briefe 1, 416 ff.)

nun höre ich kein wort! — was machte denn Schröder?" Hier
folgt nun eine charakteristische Aeusserung Babo's über Schröder: „Sub rosa von ihm zu reden. Seine Grösse beruhet blos auf
der Schwäche anderer Schauspieler. Seine Spielart ist die
leichte, simple, folglich gute. Ich kenne wenig Akteur, die
nicht eben das sein könnten, was er ist, wenn sie nicht in
schlimme Hände gerathen wären. Doch izt ist er der einzige
und verdient was er erhält.

Sein Kharakter hinterlässt einen übeln Geruch. Er ist
ein doppelter, zweizüngigter — gefährlicher Mann genannt.
— Die Proben sind zu Wienn und hier. Der Caro hat ihm
hier besser gefallen als Huck und Marschand. Das war ein
Learischer Wahnsinn? — Unter uns. —"

Von sich selbst berichtet Babo: „Bald fang ich an zu-
frieden zu sein. Ich erkenne, dass mein Schicksal für
m e i n e n humor das beste unter allen möglichen ist. —
Haben Sie den teutschen Haus-Vater von Gemming [1]) gelesen,
und haben Sie je was seichteres gelesen? was wird der Franzos
sagen, wenn er uns teütsche so betrachtet, dass wir uns mit
seiner Nation messen wollten? Nur ein teütscher Diderot
dürfte das wagen — o Himmel und Erde! Sattelt meine
Pferde! — — Der Hof hat die aufführung verboten, und
die Exp. versiegelt. Der Verf. darf nie denken, eine Stelle
am hiesigen Hof zu erhalten, die Landstände erklären sich
öffentlich wieder ihn und der grösste Adel auch. was ist
da nun besser zu thun als heimzugehen und, wenn man noch
kan, bessere Kinder zu machen die nicht Kontreband sind!

Wissen Sie dass ich in 8 Wochen mit 2 trauerspielen [2])
erscheinen werde? Sie sollen Sie sehen. — Es geht mir nun

[1]) „Der teutsche Hausvater", für die teutsche Schaubühne zu München 1780. 8º. Goedeke 4, 245. — Otto Heinrich Freiherr von Gemmingen geb. am 8. Nov. 1755 zu Heilbronn, gest. am 15. März 1836 zu
Heidelberg.
[2]) Nämlich: „Die Römer in Teutschland." Ein dramatisches Helden-
gedicht in fünf Akten vom Professor Babo. Frankenthal. Gedruckt bei
Ludwig Bernhard Friederich Gegel, kuhrpfälz. privil. Buchdruckern, 1780,
und „Oda".

von der Hand, wie einem alten roturier. Stoff in die Fülle
für ein Säculum!" — — — „Will der Hr. von Dallberg
denn nichts von mir haben? ich mögte meine zwei trauerspiele
gern in Mannheim aufgeführt haben. Man darf ungesehen
glauben, dass sie wenigstens besser sind, als das erste.
Was meinen Sie, wenn ich Reinold und Arm.[1]) zur Oper
umarbeitete? —"

In dem nächsten Briefe Babo's (aus München, vom 2.
Jänner 1781)[2]) handelt es sich um das Trauerspiel „Oda":[3])
„Hier ist Oda, mit dem Beding, dass mir Dallberg meinen
Dagobert mit umgehender Post sende. Man kan ja diess 'eins-
weilen aufführen. Sollte es aber mit der Aufführung der
Oda auch lang anstehen; so wollte ich's auch lieber zurück
haben. Sie werden ein bischen Unwahrscheinlichkeit in
diesem Stück finden und einige Erzählungen quibus nunc non
erat locus, aber es ist so.

Empfehlen Sie mich Hr. v. Dallberg, wenns erlaubt wäre,
wollte ich ihm ein paar Zeilen über die Aufführung der Oda
mittheilen. Mich daucht diess Stück könte Er vortreflich
besetzen und aufführen. Nur bald! Sie geben's doch gleich
hin? und das andre zurück?" „Schreiben Sie mir doch um
Gotteswillen wie es mit Oda und Dagobert gehen wird, was
Dallberg thut, und denkt. Oda war hier in 3 wochen aufgeführt."

Die diesem Briefe bei Malten auf S. 439 hinzugefügte
Kostenaufstellung gehört nicht hierher, sondern ist der Anhang[4]) zu dem nächsten Briefe an Klein, dem letzten, über
welchen wir bei dem beschränkten Material verfügen. In
diesem Briefe[5]) (München am 10. Februar 1781) kommt er

---

[1]) Reinold und Armida. Oper, comp. von Winter. München 1780. 8°.
[2]) Abgedruckt in Malten, Bibl. d. n. W. 2, 438.
[3]) Oda, die Frau von zween Männern. Trauerspiel in 5 Aufz. München 1782. 8°. Im Juni 1780 in München aufgeführt.
[4]) Ich habe denselben im Original, so wie er bei Malten abgedruckt
ist, als Fragment unter dem handschriftlichen Material der Kais. Univ. u.
Landesbibl. Strassburg gefunden.
[5]) Abgedruckt bei Malten, Bibl. d. n. W. 2, 213.

auf eine unangenehme Angelegenheit, wahrscheinlich geschäftlicher Natur, zu sprechen, die Klein mit einem gewissen Eckert [1] wegen eines Journals (Pfälzisches Museum?) gehabt hat. Schon im vorigen Briefe (Malten S. 438, vorletzter Absatz) hatte er eine Andeutung über diesen Vorfall gemacht, auf welchen sich auch die letzten Worte unseres vierten Briefes (Malten S. 214 f.) zu beziehen scheinen. Den Hauptgegenstand desselben bildet aber ein Vorschlag Babos an seinen Freund bezüglich seiner neuesten Werke, mit denen es ihm nicht recht von statten gehen wollte: „Nun von etwas anderm, so schreibt er, das mich allein betrift. Ich hab nun 2 Trauersp. — die Buchhändler sind Spitzbuben und ich käme mit einem Verlag nicht zu recht. — Sie sind der einzige in Europa der die Wege inne hat mit Sicherheit so was zu unternehmen. — Können Sie beide Stücke gegen eine vorzubezalende Summe als Eigenthum übernehmen? Sie erhalten dabei auch das, was die Aufführung, in Mspt. in Mannheim etc. eintragen, sei es auch eine Vorstellung auf meinen Namen. — Niemand weiss davon, als wir beide. — War Schaden bei den röm. in T. so ist die starke Auflage Schuld. — und hier liess er sich ersetzen, denn wenn noch einige 1000 Ex. übrig sind; so kostete es nur einen neuen Titelbogen und Sie hätten einen Band neuer Trauerspiele, den Sie so wohlfeil geben können, dass jeder glauben würde das alte umsonst zu haben, wiewohl wohlfeilheit nicht so vortheilhaft ist für den Verleger solcher Schrift, als Sie glauben. Jedermann verwundert sich über 18 kr. für ein neues Trauersp. 30 kr. ist beinahe so gut als Taxe. Den Nachdruck verhindert die geschwinde Verbreitung am sichersten. Sie haben Collecteurs wo Theater sind, da ist Abgang! — Der Band würde 25 Bogen betragen. Fragen Sie Kramern ob er im Anfange nicht noch 40 Ex. von d. r. in T. mehr

---

[1] Vermutlich der Prof. Eckert, welcher später die Shakespeare-Ausgabe für den Verlag der ausländischen schönen Geister besorgte: er verteidigte dieselbe gegen Eschenburg im Pfälzischen Museum (1783) I, S. 96 ff. Vgl. auch Gedichte 1793 S. 180.

abgesezt hätte, wenn er sie auf der Stelle gehabt hätte.
— Eine Bedingniss haftet auf meinem Manusp., nämlich,
dass der graf Seeau den dagob. in Mspt. zum aufführen
umsonst erhalte. Den Tag darauf mag das Stück gedruckt
erscheinen, thut nichts. — Sonst giebt er 100 fl. für die
Aufführ. ich will aber grosmüthig gegen Ihn sein. — lesen
Sie diesen überschlag.[1]) Ein Buchhändler fand ihn gut, er
wollte aber ungeheure zinsen auf die vorzubezahlende Summa
bis zum muthmasslichen Eingang der Gelder schlagen. —
Können Sie und was können Sie geben? — Ihrem Verlag
macht das Werk vielleicht keine Schande. In seiner Vorrede
wär ich gesonnen der Welt zu sagen, dass es Ihrer Denkungs-
art keine Schande mache. — Frei zu reden : alle Buchhändler
sind wider mich par Contre coup, weil alle gegen Sie sind. —
Wenn Sie es für gut fänden den Band heraus zu geben, so
könte man ihn, ersten Band nennen, denn bis dieser gedruckt
wäre, ist ein 2ter beinahe fertig. Ich arbeite izt an einem :
Otto von Wittelsbach.[2]) Wenigstens Aufsehen soll das Stück
erregen. — — Sagen Sie mir, ist es denn wirklich lächerlich,
wenn man ein Werk ohne eigennützige Absicht einem
Freunde dedizirt? — — Ich darf Ihnen nicht erst sagen,
dass dramatische Arbeiten nicht wie andre Bogenweise berechnet werden, machen Sie also Ihren Ueberschlag so, dass
Sie keinen Schaden haben können, und setzen Sie mir das
willkührliche fest. Von Dagobert existirt nur ein Mspt. Das
haben Sie oder d. Hr. Dallberg, von Oda hab ich noch eines,
das sollen Sie bekommen. Es steht bei Ihnen das ganze
gleich, oder nur die Hälfte gleich, die andre Hälfte nach
4—6 Wochen zu geben, wie Sie wollen, aber, mein liebster,
e i n z i g e r Freund Sie müssen ohne Rücksicht mit mir
reden, so von Herzen zu Herzen— gerade wie ich. — —

---

[1]) Damit ist das Fragment (Malten 2, 439) gemeint.
[2]) Otto von Wittelsbach, Pfalzgraf in Bayern. Ein Trauerspiel in 5
Aufzügen. München 1782. 8°.

9.

Vierte Mannheimer Periode.
(1780—1783.)

Wie Klein dem Kurfürsten wiederholt versicherte, setzte er seine Vorlesungen niemals aus. Heute ist es nicht mehr möglich, den ganzen Umfang und den Charakter dieser seiner Beschäftigung zu erkennen, da uns ausser einem geringen Teil der Vorlesungen und vereinzelten Entwürfen zu solchen kein genügendes Material zu Gebote steht.

Weit mehr als diese Vorlesungen, mit deren Gegenstand Klein seit langem vertraut war, nahmen die Arbeiten für den Verlag der ausländischen schönen Geister seine Kräfte in Anspruch: der Litterat wurde über denselben zum Geschäftsmann. Ungeachtet der Thatsache, dass das privilegierte Verlagsunternehmen nur zur Herausgabe der ausländischen schönen Geister bestimmt war, dehnte er dasselbe auch auf die meisten seiner eigenen Originalwerke und Gelegenheitsschriften aus. Entschlossen ging er nun daran, die Lebensfähigkeit desselben mit allen Mitteln zu erhöhen, denn es konnte ihm als Schriftsteller und Teilhaber doppelte Vorteile einbringen. Sein Plan war dieser: ein aussergewöhnliches Privilegium zu erwerben, durch welches er mit einem Schlage aller Konkurrenz ledig werde. Er baute dabei auf die Gunst des Kurfürsten. Natürlich musste er die vaterländische Bedeutung des Unternehmens vor allem in das Treffen führen und hinzufügen, seinen eigenen Vorteil dabei kaum anrechnen zu dürfen! So machte er denn im Februar 1781 folgende Eingabe: „Das Institut der Herausgabe der ausländischen schönen Geister, das mit so allgemeinem Beifall in ganz Deutschland ist aufgenommen worden, das neue und verbesserte Uebersetzungen, die den

Vorzug vor allen vorhergehenden von den besten gelehrten
Zeitungen erhalten haben, so allgemein verbreitet hat, dieses
Institut, das durch so beträchtliche Summen fremden Geldes,
die dadurch ins Land in die Hände so vieler Arbeiter sind
gebracht worden, der Pfalz bisher so verträglich war, leidet
jetzt noch immer die heftigsten Anfälle. Neid, Eigennutz
und Bosheit haben, wie E. K. Durchlaucht schon bekannt,
Kabalen durch das ganze Reich, sogar in den Kuhrpfälzischen
und Bayerischen Landen wider dasselbe angesponnen. In
Leipzig hat man mehrere Hundert Exemplarien von meiner
Sammlung mit Gewaltsamkeit weggenommen. Auf gemachte
Vorstellung bekannte man, dass die Uebersetzung meiner
Sammlung unstreitig besser sei, als alle die je vorher erschienen sind, und dass man, selbst die Bücherkommission,
wünsche, dass die bessern Uebersetzungen vor den anderen
in die Hände des Publikums kämen. Allein da verschiedene
Buchhändler auf die Schriftsteller selbst Kuhrsächsische Privilegien hätten: so darf keine andere Uebersetzung als die
ihrige, so schlecht sie sind, verkauft werden. Das höchste
Kaiserliche Privilegium dass ich für mein Institut erhalten
habe, kann mich wider diese Zerstörungen nicht schützen,
als durch Prozesse, die zu weitläufig und zu kostspielig
sind." [1])

Die Bedingungen, welche das Privilegium nach Kleins
Vorschlag enthalten sollte, übersteigen die Billigkeit bei
weitem. Er bat nämlich, ihm ein Privilegium zu erteilen,
worin ausdrücklich angezeigt wird: „dass der Kuhrfürst seinen
Eifer und unermüdetes Bestreben für die Verbreitung des
guten Geschmacks und edler Kenntnisse zu ermuntern, die
Herausgabe der ausländischen schönen Geister, als ein der
Litteratur so nüzliches Institut zu unterstützen und zu befördern, und für den demselben in einigen Gegenden zuge-
fügten Schaden einigen Ersaz und Genugthuung zu ver-

---

[1]) Thatsächlich erwarb sich Klein auch noch das Kursächsische Privilegium: Dem IV. Band seiner „Mannheimer Schaubühne" (1782) ist dasselbe vorgedruckt, während es bei den ersten Bänden noch fehlt.

schaffen, den Buchhändlern und allen Unterthanen sämmtlicher Kuhrlanden unter einer bestimmten hohen Strafe ausdrücklich befehle, von keinem Autor, von dem in der Sammlung der ausländischen schönen Geister eine Uebersetzung
erschienen oder angezeigt ist, dass eine erscheinen werde, eine
andere von wem sie immer herausgegeben sei, zu verkaufen
oder feil zu haben; wie auch unter derselben höchsten Strafe
nichts wider dieses Institut und dessen Stifter zu unternehmen, oder dawider zu schreiben, oder den Debit, auf
welche Art es sei, zu hindern, oder ein Werk, welches es sey,
von seinem Verlag nachzudrucken."

Der Kurfürst übergab die Sache auf Veranlassung von
Stengel's der Bücher-Censur-Commission. Diese erklärte
ihrerseits, dem Supplicanten das Zeugnis nicht versagen zu
können, dass er sich durch sein bisheriges Streben wirkliche
Verdienste um die Aufnahme der schönen Wissenschaften
und Litteratur im allgemeinen erworben habe, hielt es aber
für nötig, zur Wahrung der Interessen des Publikums und der
anderen Gewerbeführenden den Buchhändler S c h w a n über
das Gesuch zu vernehmen.

Die Ausführungen der Commission selbst über die vorhandenen Bedenken sind für die damaligen Verhältnisse sehr
bezeichnend. Bezüglich des ersten Antrages dass „keinerlei
alte, oder neue, inn- oder ausser Landes verfertigte, oder
noch verfertiget werden mögende Uebersetzungen auswärtiger
sogenannter schönen Geister in dem gesammten Umfang der
Kurfürstlichen Staaten mehr sollen gedruckt, oder auch nur
verkaufet werden dürfen" erklärte die Commission: „Erstlich
mag wohl kaum einem Zweifel unterworfen sein, dass die
sich biss noch so ziemlich erhaltene Unverdorbenheit der
Sitten der Deutschen zum Teil eben dem Umstand zu verdanken seie, dass allerlei wissenschaftliche Werke nicht in
deutscher, sondern andere dem Volk nicht geläufigen
Sprachen abgehandelt worden sind. [!] Da tit. Klein nun
des Vorhabens ist, alle ausländische Erzeugungen des Wizes
den Deutschen durch Uebersetzungen eigen zu machen,

unter diesen aber es eine nur allzugrosse Menge solcher giebt, welche Religion, Sitten und den Staat untergraben, so wird unumgänglich nothwendig, E. K. Durchlaucht aber auch höchst selbst allschon geneigt sein, dem tit. Klein auf das nachdrücklichste, und bei Straf der Rückziehung des privilegium und der Confiscation einzubinden, dass er keinerlei Werk der obigen Gattung in die Sammlung bringen solle."

Die Commission erachtete es für nötig, zum allgemeinen Nutzen dahin zu wirken, dass Klein seine Werke nur in den Kurfürstlichen Landen drucken lassen dürfe. Mit Recht machte sie darauf aufmerksam, dass man den vorhandenen Vorrat der Buchhändler keineswegs wertlos machen dürfe und durch ein solches Privilegium der Verbreitung der Litteratur im Allgemeinen nicht Schranken setzen dürfe.

„Nemlich da, wenn mehrere Uebersetzungen gemacht, und im Land verkaufet werden dürfen, ein Herausgeber, um ausser Schaden zu bleiben, sich notwendig bestreben muss. eine so viel bessere Arbeit, und um so viel billigeren Preiss zu liefern, so würde ein Monopolist in der Litteratur dem publico hie und da auch gar mittelmässige Arbeit, und um ein teueres Geld aufdringen wollen. Nach der eigenen Erzählung des tit. Klein ist dieses wirklich der Fall, in welchem sich die Sachen in Sachsen befinden sollen, als woselbst seine so viel besser gerathene Uebersetzungen, weilen schon andere geringere, aber privilegirte vorhanden sind, nicht verkaufet werden dürfen.

Alte und neue auswärtige Werke des Wizes sind ein gleichsamiges Eigenthum der Republic der Gelerten, und billig sollte einem jeden unverbotten sein, sich mit Uebersetzungen davon zu üben, und diese auf eigenen Gewinn und Verlust bekannt zu machen."

Ueber den Antrag Kleins — „dass auf gleiche Art auch der Nachdruck solcher anderer Werke, die er etwa noch zu verfertigen und zu verlegen Lust gewinnen mögte, und der Verkauf davon verbotten werde" hiess es: „Das Begehren ist viel zu unbestimmt, und viel zu allgemein, als dass wir

imstande wären, dazu ab- oder zu- zurathen. Es heisst:
ars longa, vita brevis, und es wird dahero tit. H. Klein die
Werke doch wohl nachzehlen können, von welchen er das
Vertrauen hat, dass seine Lebenszeit zureichen werde, um sie
herauszugeben; Er mache also dieselbe, oder nur soviel davon,
als er etwa binnen den nächsten 5 Jahren zum Druck zu befördern, Lust und Möglichkeit vor sich findet, vor allen
Dingen nahmhaft, so wird sich alsdann überlegen lassen, ob
ihm mit dem begehrten privilegio und in wie weit zu will-
fahren sei."

Die Commission riet infolgedessen, das Privilegium
zwar zu erteilen, aber dasselbe gründlich einzuschränken. Von
Stengel modificierte die Ausführung der Commission in
mehreren Punkten, stimmte ihr jedoch im Wesentlichen zu.

Vor allem mag aber eine denkwürdige Schrift des Buch-
händlers S c h w a n, welche derselbe bei diesem Anlass im
Namen der Buchhändler Mannheims einreichte, die Veranlassung gegeben haben, Klein die Flügel denn doch etwas zu
beschneiden. Diese Denkschrift des ersten Verlegers Schillers, der als Biedermann und echter Deutscher wie als Vor-
kämpfer deutscher Litteratur stets gerühmt wird, ist im Anhang beigegeben. Schwan nahm in derselben entschieden
Stellung gegen Klein, im Interesse seines Berufes, und redete
eine so deutliche Sprache, dass man annehmen kann, Klein
sei niemals mit ihm in nähere persönliche Beziehung getreten.

Das P r i v i l e g i u m e x c l u s i v u m wurde in der
That am 2. Juni 1781 unter äusserst günstigen Bedingungen
erteilt. Ich füge es ebenfalls im Anhang bei.

Nachdem Klein auch dieses erreicht hatte, ging er daran,
seinen Verlag durch die Herausgabe von S c h u l b ü c h e r n
zu bereichern. Er schrieb deshalb noch im Jahre 1781 in einer
Eingabe an den Kurfürsten folgendermassen: „Nichts kann
zur guten Schuleinrichtung erforderlicher und nothwendiger
seyn als gute Schulbücher. An nichts hat das Schulwesen
im katholischen Deutschland und besonders in der Pfalz mehr
Mangel gelitten, als an eben denselben. Ich habe einen

grosen Theil meines Lebens mit dem Unterricht der Jugend zugebracht. Tägliche Philosophische Betrachtungen über dieses Fach war mein stetes Sinnen, und gutes zu stiften meine Absicht. Ueber die öffentlichen Beweise, die ich davon gegeben, haben Ew. Durchlaucht mir öfters Höchst dero Zufriedenheit bezeugt. Auf höchste Genehmigung bin ich entschlossen einige der nothwendigsten und nützlichsten Schulbücher zu verfassen. 1) Ein Handbuch zur deutschen Rechtschreibung nebst einem vollständigen zweckmässigen Wörterbuch nach dem Muster der besten Schriftsteller Deutschlands. 2) Geist der deutschen Dichter, ein Lesebuch für die Jugend. Das letzte Werk ist darum äusserst nöthig, weil man ohne Gefahr fast keinen einzigen deutschen Dichter, so wie er ist, in die Hände der Jugend geben darf."

Er bat nun den Kurfürsten, ihm zur Unterstützung in dieser Absicht die zu seiner Arbeit nötigen Werke zu vergüten. Wahrscheinlich war es weniger die vaterländische Absicht, als der Wunsch, wieder ein sicheres Geschäft zu machen, was ihn zu diesem Vorschlag bewog; den Rest der in seinem Verlage erschienenen Tasso-Ausgabe,[1]) welche ihm teuer zu stehen gekommen war, wollte er bei dieser Gelegenheit anbringen.

Der Commission gegenüber erklärte Klein: „Bey Aussetzung des beträchtlichen Preises auf die beste Uebersetzung des befreyten Jerusalems von Tasso [2]) hatte ich vorzüglich zur Absicht, der studirenden Jugend ein Werk in die Hand zu geben, das als deutsche Lectüre betrachtet, für sie klassisch seyn würde, und das dieselbe vor den meisten ausländischen sowohl als deutschen Dichtern ohne Gefahr lesen könnte. Sollten für jedes der zwei Gymnasien allhier auf zehn Jahre nur 10 Exemplare zu Prämien bestimmt werden, so erhielte die studierende Jugend in dieser Zeit 200 Stück zur allgemeinen Verbreitung ausgehändigt." Er meinte: „Es kommt

---

[1]) u. zw. der weniger gekauften mit deutschem u. italienischem Text.
[2]) Wilhelm Heinse's Uebersetzung hatte Klein als solche erworben.

blos darauf an, eine kleine Anzahl Bücher auf einmal zu
kaufen, und einiges Geld auszulegen, das doch nach und
nach zu Prämien muss verwendet werden." Für den Fall der
Genehmigung der 200 Exemplare, bot er der Commission
an, derselben 50 Stücke gratis für die armen Studenten beizu-
legen.

Aus diesen Ausführungen spricht der kluge Geschäftsmann. Die Herren Geiger, von Lamezan jun., Foller und
Bernardi bildeten die Commission. Man bezweifelte, ob Tasso
für Jünglinge ein nützliches Buch sei und frug sich, was der
beigedruckte italienische Text den Studenten nützen und aus
welchem Fundus die 200 Exemplare bezahlt werden sollten.

Bezüglich der deutschen R e c h t s c h r e i b u n g erklärte das Commissionsmitglied Foller: „Die Deutsche Gesellschaft sollte fordersamst feststellen, welche von denen
an das Licht getretenen deutschen Rechtschreibungen in die
öffentlichen Schulen aufzunehmen seyen, alsdann, wenn von
denen wirklich vorhandenen Rechtschreibungen und dafür
geltenden Wörterbüchern keines hinreichend anerkennet
würde, könnte unter Aufsicht der deutschen Gesellschaft ein
solches von Herrn Klein verfasst werden," und ferner erklärte
er: „Gegen den G e i s t d e r d e u t s c h e n D i c h t e r
habe ich nichts einzuwenden, wann nur vorher die christliche
Jugend in den biblischen Geschichten und dem neuen Testa-
ment wohl bewandert ist, die derselben als ein Lesebuch
fordersamst in die Hände gegeben werden sollen."

Immerhin erklärte die Commission Kleins Begehren bezüglich des Ankaufes der Tasso-Ausgabe für bedenklich und
verlangte vor allem die Vorlage der Uebersetzung und der
beabsichtigten Schulbücher.

Hier hören unsere Akten in dieser Angelegenheit auf.
Es ist kaum anzunehmen, dass die betreffenden Arbeiten zur
Drucklegung gekommen sind.

Trotzdem durch seine Ernennung zum Geschäftsverweser
der deutschen Gesellschaft (am 6. Juli 1782) grosse Ver-
bindlichkeiten an Klein herantraten, arbeitete er rastlos an

4

der Ausgestaltung seines Verlages. Hiervon
giebt sein Brief an den Regenten der Pfalz, den allmächtigen
Minister von Oberndorf (vom 31. Dezember 1782) einen
Beweis. Nach einem devoten Neujahrs-Glückwunsch, schreibt
Klein in demselben: „Eure Excellenz haben aus dem letzthin
übersandten Zeugniss des Papiermachers gesehen, wie ent-
setzlich der Bruchdrucker Gegel [1]) in Frankenthal mich be-
trogen hat. Ich bin jetzt gezwungen, meine Werke auswärts drucken zu lassen. Schon wirklich sind für die zwey
folgenden Monate 4 Bände, jeder zu 3000 Auflage, also
12 000 Exemplare bey Buchdruckern in Strasburg und
Darmstadt unter der Presse; und so muss es fortgehen.
Es thut mir schon wehe, dass ich soviel Geld aus dem Lande
schicken muss, da ich mein Institut vorzüglich zum Nutzen
des Vaterlandes errichtet habe.

Es ist nur ein einziges Mittel übrig, der Pfalz den
Nutzen zukommen zu lassen, den ich jetzt auswärtige Städte
muss geniessen lassen. Das Mittel bestehet darin, dass ich ein
Privilegium erhalte, selbst eine Druckerey in der Pfalz, wo
ichs am fürtrefflichsten finde zu errichten. Ew. Excellenz
werden sich gnädig erinnern, dass schon vor 4 Jahren mir
ein solches Privilegium zugesagt war. Leider! lies ich mich
damals bereden, dass ich es fahren lies, und durch tausend
Besprechungen brachte man mich an das fatale Frankenthal,
wo ich nun den unersetzlichen Schaden erlitten."

Von Oberndorf sorgte dafür, dass der Kurfürst bald von
der Sache hörte, und Klein kurz darauf die günstige Nachricht erhielt, dass man seinem Wunsch nicht abgeneigt sei.
Klein schrieb darauf am 1. Februar 1783 ein Gesuch an den
Kurfürsten.

Er erklärte in demselben, dass die Ausfertigung des ihm
vor vier Jahren zugeteilten Druckerei-Privilegiums nur deswegen unterblieb, weil ihm der Geh. Rath Fontanesi durch
den Buchdrucker in Frankenthal eben so guten Druck und
Papier u. zw. um einen leidlichen Preis zu liefern versprach,

---

[1]) Derselbe wird von Schwan in seiner Eingabe in Schutz genommen.

als ihm damals von den Druckereien in Strassburg geliefert wurde.

„Die Verbindung mit Frankenthal hört nun auf, schreibt er weiter, indem man mir kein Wort gehalten, und mich in einen unersetzlichen Schaden durch schlechten Druck und Papier gebracht hat. Auch war ich wirklich gezwungen den Frankenthaler Buchdrucker bey dem Kuhrfürstlichen Hofgericht zu verklagen, und den Druck wieder auswärts verfertigen zu lassen.

Da jährlich wenigstens 30 Tausend Bände von dieser Sammlung gedruckt werden: so ist leicht zu erachten, welche Summe Geldes dadurch ausser Land flieset.“ Und nun hat er nicht nur um das Privilegium zur Errichtung einer eigenen Druckerei in der Pfalz, wo es ihm am füglichsten wäre, sondern auch darum, ihm zugleich durch das höchste Privilegium nicht nur den Druck seiner eigenen Werke zu erlauben, sondern auch solcher, die er, ohne die Privilegien der schon errichteten Pfälzischen Druckereien zu verletzen, von anderen zum Drucke erhalten könne.

Man sieht, wie Klein mit klugem Geschäftssinn alle nur möglichen Vorteile an sich zu reissen bestrebt war.

Die Akademie [1]) wurde zu Rate gezogen und erklärte, dass die Erlaubnis zu erteilen sei, obgleich die Vervielfältigung der Buchdruckereien in Kurpfalz unrätlich und eben deswegen ein gleiches Gesuch erst abgeschlagen worden sei,[2]) — „soferne Klein nur auf seine eigenen Verlagswerke oder auch auswärtiger Schriftsteller Arbeiten zu drucken eingeschränkt werde,“ mit Ausschluss aller durch besondere Kurfürstliche Privilegien schon ausgenommenen und der zufälligen Druckarbeiten. Sie verlangte ferner, ihm allen Bücherverkauf, ausgenommen denjenigen seiner eigenen Verlags-

---

[1]) Die betreffenden Akten sind gezeichnet: L. F. von Hohenhausen und Lamey (Präsident bezw. Sekretär der Akademie).

[2]) „Denn durch die Verlegung des Kurfürstlichen Hoflagers sei die mit grossen Kosten angelegte Hof- und Akademische Buchdruckerei ohnehin sehr geschädigt worden.“

4*

werke zu untersagen, „um nicht den ohnehin schon dahier so
sehr geschwächten Buchhandel gänzlich zu Grunde zu
richten."

Am 20. Mai 1783 fand in der Angelegenheit eine Sitzung
der Regierung statt, bei welcher der Vicekanzler [1]) Frey-
herr v o n F i c k , Kleins späterer Schwiegervater, anwesend
war.

Das Gutachten der Akademie wurde von ihr bestätigt.
Am 7. Juni 1783 genehmigte ein Kurfürstliches Re-
script, „dass der tit. Klein zur besseren Beförderung seiner
Arbeiten eine e i g e n e D r u c k e r e y in Kurpfälz. Landen,
an einem bequem findenden Orth, mit dem ausdrücklichen
Vorbehalt jedoch, anlegen möge, die bestehenden Privilegien
nicht zu verletzen und auch nichts, als nach vorgängiger
Censur in Drucke zu geben."

Klein machte aber auch den Versuch, das verlorene
Geld einzubringen. Er bat um den gänzlichen Erlass einer
ihm vom Herrn Fontanesi auf Rückersatz vorgeschossenen
Summe von 1500 Gulden; sodann um eine jährliche Zah-
lung von 3000 Gulden auf zehn Jahre, „zu einigem Ersatz
für den Schaden, welchen er ohne sein Verschulden durch
den mislungenen Verlag erlitten habe."

Da man aber keinen Fonds mit diesen Abgaben be-
lasten konnte, wurde die letztere Bitte abgeschlagen. Bezüglich der anderen heisst es in den Akten, dass „das weitere
Gesuch aber, wegen Erlassung der 1500 Gulden dem bereits
eingeschlagenen Weg Rechtens zu überlassen seye, welche
Verfügung auch in Absicht des tit. Gegels stattfindet." [2])

Dass Klein im Jahre 1784 die Uebersetzung und Herausgabe der h e i l. S c h r i f t wieder aufgenommen hat, beweist
ein Aktenstück, wonach er am 20. März 1784 um einen Zu-
schuss „zur Beförderung des Drucks ohnlängst übersetzter

---

[1]) als solcher schon in Akten im Jahre 1781 unterzeichnet.

[2]) Klein scheint die gewünschten Summen durch den Process nicht
erhalten zu haben, denn er klagte noch oft über seine ungeheuren Verluste durch Gegel.

heiligen Schrift und abgab derselben an den gemeinen Mann um einen billigen Preis" bat. Dasselbe wurde an die Kurfürstl. Geistl. Administration (gezeichnet: von Gemmingen und Fick) überwiesen.

Da uns keine weiteren Akten mehr Aufschluss geben und diese Bibelausgabe weder von Klein in den Zusammenstellungen seiner Werke noch in Bibliographien genannt wird, so scheint es nicht zur Drucklegung derselben gekommen zu sein.

Inzwischen hatten sich die V o r l e s u n g e n Kleins bereits bei dem Publikum eingebürgert. Von dem Erfolg, welchen er hier erzielte und der nutzbringenden Weise, in welcher er seinen Beruf ausübte, legt seine Ankündigung vom 23. August 1783 im ersten Bande des Pfälzischen Museums [1]) ein rühmliches Zeugnis ab. Hören wir, was er uns in derselben hierüber bekannt macht!

„Das Zutrauen, das mir verschiedene junge Freunde der schönen Wissenschaften bisher schenkten, indem sie ihre litterärischen Versuche theils in Uebersetzungen, theils in eignen Aufsätzen mir zur Beurtheilung gaben, und danach aufs neue bearbeiteten; und der grössere Nutzen, den ich hiedurch als durch theoretische Vorlesungen, entspringen sah, ermuntert mich, eine gewisse Zeit zu bestimmen, wo jeder seine Aufsätze, aus welchem Gefache der Litteratur sie seyn, entweder selbst bei mir vorlesen, oder zum Lesen oder zur freundschaftlichen Beurtheilung mir übergeben kann. Die Art der Beurtheilung soll so beschaffen seyn, dass die theoretischen Grundsätze zugleich erläutert und in gehöriges Licht gesetzt werden. Die hierzu bestimmte Zeit ist jeden Samstag von Morgens 10—12 Uhr. Sollten sich die Aufsätze häufen: so werden an verschiedenen Tagen mehrere Stunden zur Prüfung derselben bestimmt werden.

Meine Vorlesungskollegien habe ich seit 6 Jahren als gesellschaftliche und freundschaftliche Versammlungen angesehn, und also wird auch dies Kollegium unentgeltlich ge-

---

[1]) S. 333 f.

halten. Auf Verlangen wird bey Ablesung und Beurtheilung
eines Aufsatzes der Namen des Verfassers verschwiegen.
Männer von Einsicht und patriotischem Gefühle ersuche ich,
Jünglinge von Fähigkeit zu ermuntern, dass sie in einem
Gefache, dessen Kenntniss unter aufgeklärten Menschen un-
entbehrlich ist, ihre Kräfte versuchen und durch Uebungen
bei dieser Gelegenheit ihre Schreibart und überhaupt ihr Ge-
fühl für das Schöne zu bilden sich beeifern."

Obwohl diese Vorlesungen und Uebungen, die Geschäfte
des Verlages und seines Amtes in der deutschen Gesellschaft
seine Zeit allein schon in nicht geringem Masse in Anspruch
nehmen mussten, so ist doch gerade in den Jahren 1781 bis
1790 die Zahl der von Klein herausgegebenen schriftstellerischen Arbeiten eine erstaunlich grosse, besonders auf
dramaturgischem Gebiete. Dass Klein sich in diesen Jahren
gerade dem Drama zuwandte, kann uns nicht verwundern.
Denn inzwischen hatte die deutsche dramatische Kunst ihren
ruhmvollen Einzug in die Hallen des Mannheimer Nationaltheaters gehalten und Dichter und Schriftsteller wetteiferten
mit den Künstlern, ihr zu dienen.

Inmitten dieser kunstbegeisterten Schar erblicken wir
denjenigen, welcher von hier aus auf Adlerschwingen zu den
goldenen Höhen der deutschen Kunst emporstieg:

Friedrich Schiller.

10.
Das Verhältnis Anton Kleins
zu Schiller.

Das Interesse der litterarhistorischen Forschung, die Persönlichkeiten zu ermitteln, welche in die Schicksale des jungen Schiller in Mannheim eingegriffen haben, hat auch auf die Spur Anton Kleins geführt.[1])

Klein hat selbst in dieser Beziehung durch seine Schriften die Aufmerksamkeit auf sich gelenkt. Denn er konnte, als Schillers Name durch alle Welt getragen wurde, besonders nach des Dichters Tod, nicht genug Aufhebens mit seiner einstigen Freundschaft für den jungen, noch unbekannten Mannheimer Theaterdichter machen.

Wir werden aber am ehesten der Wahrheit auf den Grund kommen, in wieweit wir es hier mit einem freundschaftlichen Verhältnis zu thun haben, wenn wir die Beziehungen beider Männer von ihrem ersten Stadium aus verfolgen.

Unsere Betrachtung muss an das erste entscheidende Unternehmen Schillers, in Mannheim festen Fuss zu fassen, anknüpfen: an die Erstaufführung der Räuber am 13. Januar 1782, bei welcher Klein bereits zu Schillers Bekannten zählte. „Unerkannt von dem Publikum stand Schiller im Theater, — so heisst es in „Schillers Leben"[2]) — nur Freiherr von

---

[1]) B. Seuffert veröffentlichte in der Festschrift für Ludwig Urlichs Würzburg 1880 den Aufsatz: „Klein und Schiller". Ferner hat J. Minor in sein Werk „Schiller" (II. Bd.) ebenfalls die Hauptzüge aus dem Leben und den Beziehungen Kleins zu Schiller eingeflochten.

[2]) Schillers Leben von Charlotte von Schiller (L. Urlichs) S. 89, von Frau von Wolzogen Cotta 1851, S. 21.

Dalberg [1]) und der geheime Rath Klein wussten um das Geheimnis." [2])

Noch lange Zeit, auch dann noch, als Schiller bereits ständig in Mannheim weilte, blieb es bei dieser flüchtigen Bekanntschaft. Denn Schiller erwähnt zu dieser Zeit des öfteren in seinen Briefen, dass er in Mannheim mit seinem Umgang äusserst vorsichtig war — er verkehrte nur in dem Dalberg'schen und Schwan'schen Hause: „Ausser diesen vermenge ich mich mit Niemand genau" schrieb er noch am 13. November 1783 bezüglich seines Verkehrs an Henriette von Wolzogen [3]) . . . . Sonsten besuchen mich viele Gelehrte und Künstler von hier, aber sie kommen und gehen; ich attachiere mich sehr delikat." Wir besitzen aus dieser Zeit auch ein Schreiben Schillers, vermutlich das erste, welches er an Klein richtete. Es ist ein offizieller Dankesbrief (datiert: Mannheim 8.—12. Januar 1784),[4]) anlässlich der Aufnahme Schillers in die deutsche Gesellschaft.

---

[1]) Mit Dalberg scheint Klein auch über theatralische und geschäftliche Dinge conferiert zu haben. Klein hatte ihm „zum Nutzen der Theaterkasse den eigenen Verlag der für die Mannheimer Bühne bearbeiteten Schauspiele" vorgeschlagen. Schwan an Schiller, am 11. August 1781. (Jonas, Schillers Briefe 1, 40.) Vgl. Dr. F. Walter, Archiv und Bibliothek des Grossh. Hof- und N.-Theaters in Mannheim 1, 458.

[2]) Vgl. über die Ankunft Schillers auch Schwan an Körner 14. Juli 1811: Minor, aus dem Schillerarchiv S. 14. Klein konnte noch in seinem letzten Lebensjahre, 1810, die Erinnerung an diese Begegnung mit Schiller in der Gesellschaft der Witwe des Dichters in Mannheim wieder aufleben lassen: Er ist jener „Freund", welcher der Gattin Schillers „mit Rührung" den Platz Schillers im Theater zeigte, wie aus ihrem Briefe an Cotta am 26. August 1810 (kurz vor Kleins Tod) hervorgeht, in welchem sie schreibt: „In Mannheim sah ich Schillers ältesten Freund, Geheimerath Klein. Dieser zeigte mir im Theater seinen Platz! es war mir so ein traurig wehmütiger Anblick — dort wurden die Räuber zuerst gegeben." Briefw. zw. Schiller u. Cotta, hrsg. von W. Vollmer 1876 S. 563. Vgl. Charlotte von Schiller (L. Urlichs) S. 89. Klein hat sich der Witwe Schillers gegenüber offenbar selbst als ältesten Freund ausgegeben; dieser war aber Schwan, der damals noch lebte. (Gest. zu Heidelberg i. J. 1815.)

[3]) Jonas Sch. B. 1, 162.

[4]) Ebenda 1, 170, siehe auch die Anm. S. 485.

Klein hatte nämlich als deren Geschäftsverweser an
Schiller, sogleich nach dessen Aufnahme, gewiss nicht ohne
seiner Eitelkeit zu schmeicheln, eine entsprechende Mitteilung
gemacht.

Das Verdienst Kleins, dass er in seiner erwähnten Eigen-
schaft im Einverständnis mit den übrigen Vorstandsmitglie-
dern der Gesellschaft auch in diesem Falle den immerhin ent-
scheidenden Vorschlag zur Aufnahme gemacht hat, forderte
den Dank Schillers heraus.[1])

Dieser und weiterhin der nicht minder wahrscheinliche
Umstand, dass es für ein junges Mitglied geboten war, keine
Aufmerksamkeit gegenüber dem einflussreichen Sekretär zu
versäumen, mögen Schiller zu dem Ausspruch in dem erwähnten Briefe veranlasst haben, dass er in seiner Aufnahme
„einen so schönen Beweis von Kleins thätiger Freundschaft
für ihn" sehe. Auch aus dem, was Schiller über den Fiesko
und die bevorstehende Reise Kleins nach München schreibt,
blickt mehr die Artigkeit als das Bekenntnis einer wahren
Freundschaft hervor.

Dass ein halbes Jahr später noch keine Annäherung
zwischen Klein und Schiller stattgefunden hat, beweist der
unangenehme Vorfall mit einem Manuscripte Schillers. Ein
solches war nämlich durch eine Uebereilung Dalbergs, wie
Schiller an Klein schreibt,[2]) unter andere Papiere [der
deutschen Gesellschaft] und mit diesen in die Hände Kleins
gekommen. Dieses Manuscript enthielt in Form einer Aus-
einandersetzung über dramaturgische Fragen die „Grundsätze und Meinung" Schillers, welche wenige Tage vorher
in der deutschen Gesellschaft missfällig aufgenommen worden

---

[1]) Aber das eigentliche Verdienst der Einführung Schillers in die
Deutsche Gesellschaft wird nicht, wie allgemein angenommen wird, Klein,
sondern Schwan und Dalberg, den beiden Männern gebühren, welche
Schiller selbst damals noch als seine einzigen thätigen Freunde bezeichnet.
War doch der erstere ein hochangesehenes Mitglied und Dalberg der
Präsident der Gesellschaft!

[2]) 5. Juni 1784 Jonas Sch. B. 1, 188 f.

waren[1]) und deren strenge Behauptung „die ganze Gesellschaft gegen ihn hätte erhitzen können."[2]) Schiller bittet
nun Dalberg in einem Briefe an ihn vom 4. Juni 1784,[3])
bei Klein unter irgend einem Vorwand die sofortige Rück-
erstattung der ihm zugeschickten Papiere zu veranlassen. Er
traut Klein keineswegs: „Geschähe dieses nicht, so wäre
Klein insolent genug, das M.(anu)ser(i)pt in der Sizzung tags
darauf zu referieren." Der Regisseur Rennschüb solle Klein
die Handschriften im Auftrag Dalbergs abfordern und so habe
Klein nicht Zeit, einen schlimmen Gebrauch mehr davon zu
machen.

Der Brief, mit welchem Schiller dann am nächsten Tag,
den 5. Juni, das Aufforderungsschreiben Dalbergs an Klein
begleitet,[4]) verrät deutlich, dass Schiller, von Misstrauen
gegen Klein erfüllt, sich diesem gegenüber nicht ohne eine
gewisse Verlegenheit wegen der Abforderung zu entschul-
digen sucht. Um aber Klein, den er auch als Geschäftsmann
beachtete, nicht ganz ohne ein freundliches Wort abzufer-
tigen, schliesst er den Brief mit den Worten: . . . „ich
wollte einen grossen Schritt zur Beförderung des Theaters
thun, und behalte mir vor, Sie bei meinem Plan zu einer
Mannheimer Dramaturgie als Freund und quasi Verleger um
das Nähere zu erfragen.[5])

---

[1]) Vgl. Jonas Sch. B. 1, 187 und 189.

[2]) Die Absicht, ein periodisches dramaturgisches Werk zu unternehmen, beschäitigte Schiller schon seit dem Frühjahr 1784. (Schiller an
Reinwald 5. Mai 1784. Jon. Sch. Br. 1, 186.) Vgl. auch im folgenden
den Schluss des Briefes von Schiller an Klein vom 5. Juni. Am 26. Juni hielt
Schiller in der deutschen Gesellschaft seinen Vortrag über die Schaubühne.

[3]) Jonas, Sch. B. 1, 187.

[4]) Die Kenntnis desselben (Jonas, Sch. B. 1, 188 f.) wird zum folgenden vorausgesetzt.

[5]) Dieser Plan scheiterte; vgl. Schiller an Dalberg 5. Juni 1784 (Jon.
Sch. B. 1, 190 f.) und 2. July 1784 (ebendort 1, 203 ff. und 1, 199.) In
letzterem Briefe teilt er seinen Entwurf der Mannheimer Dramaturgie mit.
Im Herbst d. J. nahm Schiller diese Arbeit wieder durch die Herausgabe
der Rheinischen Thalia (Ankündigung am 11. November 1784) auf, welche
er auf eigene Subscription herausgab. (Vgl. An Henriette von Wolzogen

Die Befürchtungen Schillers wegen seines Manuscriptes stellten sich allerdings als unberechtigt heraus. Am selben Tage besuchte er die Sitzung der deutschen Gesellschaft und schrieb am 7. Juni an Dalberg: [1]) „Der bedenkliche Umstand mit meinem M(anu)scr(i)pt ist ganz zu meiner Beruhigung abgelaufen; ich hab es wieder in Händen, und Klein dachte auch nicht mit einem Gedanken daran, dass ein Misbrauch gemacht werden könnte."

In demselben Briefe äussert sich Schiller in ausführlicher Weise darüber, wie sich seiner Meinung nach die deutsche Gesellschaft an der Hebung der Nationalschaubühne beteiligen solle. Dabei streift er auch den Charakter der Stellung, welche er und „sechs der Sache kundige Mitglieder", (unter diesen nennt er auch Klein), bei diesem Geschäfte einnehmen sollen. Während die letzteren als Preisrichter der eingelaufenen Stücke und Beurteiler der Aufführungen einen Ausschuss bilden sollten, wollte Schiller mit dem Präsidenten Dalberg eine Sonderstellung einnehmen. Am Schluss des Briefes sagt Schiller weiter: „Wenn dies zu Stande kommt, so würde ich Ewr. Excellenz [Dalberg] dann ersuchen, mich, gleichsam als wechselseitigen Sekretair, die Schlüsse der D. Gesellschaft dem Theaterausschuss, und die Antworten oder Anfragen des leztern der Gesellschaft referiren zu lassen. Auf diese Art würden beide Collegien durch mich in Zusammenhang gebracht, und auf eine solenne Art mit einander verbunden."

Abgesehen von den Gefahren,[2]) welche mit der Ausführung dieses Planes verbunden gewesen wären, musste der Theaterdichter mit dem Vorhaben, eine etwaige Anstellung als Sekretär zwischen der Theater- und der deutschen Gesellschaft neben deren Geschäftsverweser zu erlangen, Klein sehr ungelegen kommen.

---

8. Okt. 1784. Jon. Sch. B. 1, 211. Pichler Chronik d. Grossh. H. und N.-Theaters 1879, S. 80.)

[1]) Jonas Sch. B., S. 189.

[2]) Vgl. Minor, Schiller 2, 253 f.

Rivalen, die seinem eigenen Wirkungskreise gefährlich
werden konnten, suchte Klein stets von Anfang an mit allen
Mitteln zu unterdrücken.[1]) So verfuhr er mit Wieland, so
mit Lessing, als sie nach Mannheim kamen.

Der Buchhändler Schwan, welcher wie Dalberg damals an
der Ausarbeitung der Pläne Schillers lebhaft beteiligt war,[2])
macht in einem Briefe an Körner, Schillers Freund, (Heidelberg, 14. Juli 1811), eine Bemerkung, welche als Beweis des
oben Gesagten angesehen werden kann. Er schreibt: „Bey
dem Mannheimer Theater ist Schiller nie angestellt gewesen,
wohl aber war man damals willens, ihn bei der deutschen
Gesellschaft als beständigen Sekretär mit einer anständigen
Besoldung anzustellen, welches auch geschehen wäre, wenn
nicht der Exjesuit, nachheriger Titulargeheimrath und sogenannter Ritter von Klein gegen ihn cabaliert hätte, welchem
auszuweichen Schiller ihm aus dem Wege ging"[3]) . . . . .

Schiller hatte sich nicht nur in dieser Erwartung sondern
auch — was ihn noch schmerzlicher berühren musste —
überhaupt in der Hoffnung getäuscht, dass sein Vertrag als
Theaterdichter von Dalberg verlängert werde. Dieser liess
ihm vielmehr Mitte des Sommers bereits von Freunden, zunächst dem Hofrat Mai, den Rat erteilen, zu der Beendigung
seiner medicinischen Studien zurückzukehren.[4])

Klein mochte zwar als Geschäftsverweser in Schiller

---

[1]) Auffallend ist es, dass Schiller nie einen Preis von der deutschen
Gesellschaft erhalten hat und auch sein Vortrag über die Schaubühne trotz
seines bereits berühmten Namens, nicht in den Schriften der deutschen
Gesellschaft abgedruckt worden ist: Klein hätte beides am ehesten be-
wirken können.

[2]) Vgl. Schiller an Dalberg. Jon. Sch. B. 1, 190.

[3]) Schwan an Körner 14. Juli 1811. Minor, Aus dem Schiller-Archiv
S. 15 unten f.

[4]) Jonas Sch. B. 1, 198; Minor, Schiller 2, 223. Auch Schwan hat
„Schiller immer geraten, die Medicin nicht ganz bei Seite zu setzen, sondern diese als ein sicheres Brotstudium weiter zu cultivieren, die Dicht-
kunst aber nur nebenher zur Erholung und als eine Nebenbeschäftigung
des Geistes zu treiben." Schwan an Körner 14. Juli 1811. Minor, Aus
dem Schiller-Archiv, S. 15.

keinen Rivalen erhalten, drückte aber entschieden seine „Indignation" gegen dieses Ansinnen an Schiller aus, indem er — so erzählt er selbst [1]) — gerade in dieser Zeit Schiller „enthusiastisch" anfeuerte, seinen dichterischen Beruf nicht zu Gunsten der Brodwissenschaften zu opfern.[2])

So mag es gekommen sein, dass Klein sich Schiller von dieser Zeit an allmählich verbindlich machte.[3]) Während noch ein Empfehlungsbrief Schillers an Klein für den Magister Haller conventionell verfasst ist, haben wir vom Anfang des Jahres 1785 an mehrere Briefe, welche eine Annäherung erkennen lassen. So begann Schiller am 7. Januar 1785, am Tage nach der Aufführung des Günther von Schwarzburg, eine Karte an Klein [4]) mit den launigen Zeilen:

Bon Jour,

Nun liebster Fr. wie haben Sie denn auf Ihren Günther geschlafen? —"

Aus den Schlussworten dieses Briefes geht auch hervor, wodurch die freundliche Stimmung Schillers veranlasst wurde: durch Kleins „gütige Verwendung" hatte Schiller von der deutschen Gesellschaft einen Wechsel von 132 fl. als Vorschuss erhalten.[5]) Schiller erblickte seitdem in Klein einen wohlthätigen Freund und suchte sich mit ihm auch über litterarische Vorwürfe zu verständigen. Er schickte ihm noch in demselben Monat eine Partie seiner Thalia und bat sich Kleins „kritische Meinung recht sehr" darüber aus . . . . vorzüglich über „Don Carlos". Auch fügte er die Bitte hinzu,

---

[1]) Im Vorbericht zu seinen Dramaturgischen Schriften 1809, S. XIII.

[2]) In seinen Vorlesungen eiferte er oft gegen die ausnahmslose Pflege der Brodwissenschaften.

[3]) Der Ansicht, dass erst mit dem Jahre 1785 eine freundschaftliche Annäherung zwischen Schiller und Klein stattfand, ist auch Emil Horner; vgl. seinen Aufsatz Anton Klein in Wien. Forschungen zur neueren Litteraturgeschichte 1898 (Festgabe für R. Heinzel), S. 267.

[4]) Jon. Sch. B. 1, 224.

[5]) S. auch L. L. S. 145.

Klein möge ihm seine ausgebrauchten Schreibmaterialien „recroutiren" helfen.[1])

Wir hören seitdem von keiner Seite her mehr etwas über den Verkehr beider Männer, ausser dass Anton Klein selbst in seinen Schriften aus Eitelkeit in späteren Jahren oft sein Verhältnis zu Schiller als das intimste hingestellt hat, das man sich nur denken kann. So lesen wir in der Vorrede zu seinen dramaturgischen Schriften 1809 (S. 13 ff), er habe weinend von Schiller Abschied genommen. (April 1785). Ebenso überschwenglich ist die Art, in welcher er in einem Gedichte auf den Tod Schillers seinen freundschaftlichen Verkehr mit dem jungen Mannheimer Theaterdichter besingt.

Man könnte nach solchen Beschreibungen meinen, Schiller sei auch nach seinem Weggang von Mannheim mit Klein in Verbindung geblieben: allein von seiten Schillers werden wir durch nichts auf ein Fortbestehen der „Freundschaft" aufmerksam gemacht. Immerhin bewahrte er Klein insofern ein freundliches Andenken, als er sich wohl aus Rücksicht auf die einst durch Klein empfangene Förderung. wie seinerzeit schon gelegentlich der Besprechung des „Günther"[2]) einer öffentlichen Kritik über Kleins Werke enthielt. Selbst vor Goethe scheint er diese Zurückhaltung bewahrt zu haben: das Erscheinen des von Klein verfassten „Athenor" und die Worte Goethes über das Gedicht, mit welchen er dessen Zusendung an Schiller begleitete, zwangen ihm eine Aeusserung ab, sodass er am 12. May 1802[3]), ohne an seine frühere Bekanntschaft mit dem Verfasser zu erinnern, Goethe antwortete: „Mit dem Athenor sind Sie mir um einen Tag zuvorgekommen, denn auch ich habe dieses schreckliche Product erhalten und hatte es schon für Sie

---

[1]) Offenbar aus den Fonds der deutschen Gesellschaft, welche hierfür einen Posten ausgesetzt hatte.
[2]) S. Repertorium des Mannheimer Nationaltheaters Bd. III. S. 583.
[3]) Jon. Sch. B. 6, 385.

bei Seit gelegt." Die Recension desselben überliess er
Goethe, welcher an dem Werke seine Kritik [1] rückhaltslos
ausübte.[2]

11.

Schubart.

(Fortsetzung.)

Am 18. Mai 1787 war der unglückliche Dichter Ch. F. D.
Schubart aus seiner zehnjährigen Haft auf der Feste
Hohenasperg entlassen worden. Nach langer Unterbrechung
trat wieder ein lebhafter brieflicher Verkehr zwischen ihm
und Anton Klein ein. Freudig begrüsste dieser die Befrei-
ung seines ihm zugethanen Dichterfreundes und zögerte nicht,
ihm alsbald die neuesten Erzeugnisse seiner Muse in dem „Pfälzischen Museum" und dem „Leben der grossen Deutschen"
zu übersenden. Sein Brief und die Beigaben desselben wurden von Schubart mit patriotischer Begeisterung aufgenommen, unter deren Nachwirkung er in seinem nächsten Briefe
(Stuttgart, den 7. Dezember 1787)[3] eine förmliche Sym-
pathiekundgebung an Klein niederschrieb: „Aber nun trotz
dem zerschmetterten Arme, der unthätig in der Schlinge
ruht, schütt'l ich den Staub aller Lebenssorgen von mir, und
dictire diesen Brief an meinen Freund Klein, den ich schon
14 Jahre so innig hochschäze und liebe und mit dem mich

---

[1] Jenaische Allgemeine Literatur-Zeitung 1805 No. 38 (S. 304).
[2] Ausser den im Briefwechsel vom 9. und 12. Mai 1802 und durch
die erwähnte Kritik gegebenen Daten, welche auf keine nähere Bekanntschaft Kleins mit Goethe schliessen lassen, sind mir nur noch bekannt
geworden: Ein Brief Goethes an Klein vom 17. April 1789 aus Weimar,
in welchem Goethe von seiner Iphigenie spricht (abgedruckt bei Malten,
Bibl. d. n. W. 2, 383) und ein Brief Kleins im Goethe-Schiller-Archiv zu
Weimar vom 17. April 1802, mit welchem er die Zusendung seines Hel-
dengedichts „Athenor" an Goethe begleitete.
[3] Malten, Bibl. d. n. W. 1, 384; Strauss-Zeller 2, 251.

Sympathie und Sympsichie so brüderlich in einander schlingt.
Sie lieben Ihr Vaterland; ich auch. Sie glühen für die heilige
Wahrheit; ich auch. All Ihre Nerven klingen wie ein Glok-
kenspiel zusammen, wenn der Rosenfinger der Schönheit sie
nur leise berührt; auch mir klingt das Herz, wenn Venus
Urania mir lächelt. Sie werden oft mit Undank belohnt, und
würken doch für's allgemeine Beste fort. Heil mir, dass ich
auch diess vermag, und dass der Entschluss in meine Seele
mit Widerhaken eingegriffen hat — dem Vaterlande zu leben
und zu sterben, auch wenn es undankbar wäre."

Und ebenso wenige Tage darauf: [1] „Schon längst haben
Sie, Edler Mann, eine Eichenkrone verdient, die Ihnen gewiss der Genius unsers Vaterlandes aufsetzen wird."

Dieses Nachschreiben fügte er noch am 13. Dezember
hinzu, da er in seinem edlen Eifer, wo immer es dem Wohl
der deutschen Litteratur galt, wieder auf eine Menge von Gedanken und litterarischen Plänen für die Pfalz gekommen
war, zu deren Verwirklichung er Klein aufzumuntern hoffte.
Lebhaft setzte sich die Correspondenz über die litterarischen
Entwürfe fort. Schon im Februar des nächsten Jahres nahm
Schubart Veranlassung, in einem abermaligen Antwort-
schreiben Klein in der besten Absicht neue Anregungen zu
geben. Es lautet: [2]

Stuttgart, den 8. Februar 1788.

Edler Mann, bester Freund!

Verzeihen Sie mir, dass ich Ihnen auf Ihr lezteres
Schreiben erst jezt antworte. Da ich meine rechte Hand
noch nicht gebrauchen kann, und mich meine Amtsgeschäfte
bis zum Schwindel herumdrehen; so muss ich die Augenblicke

---

[1] Malten, Bibl. d. n. W. 1, 385; Strauss-Zeller 2, 251.
[2] Dieser Brief ist hier wiedergegeben — er findet sich im Morgenblatt f. geb. Stä. 1820, 2 S. 970 — weil er bisher übersehen worden zu
sein scheint. Denn weder in den Biographien von Strauss und Hauff,
noch in der Bibliographie Goedekes wird seiner irgend welche Erwähnung
gethan.

nur erschleichen, wo ich mich mit meinen Freunden schrift-
lich unterhalten kann. Fürs Erste empfangen Sie meinen
vollen Dank für die trefflichen Schriften der deutschen Gesellschaft, womit Sie mich beehrt haben. In meinem nächsten Chronikstücke will ich solche der Wahrheit gemäss an-
preisen. Welchen Dank ist Ihnen unser Vaterland schuldig!
Wenn es jezt kalt und undankbar gegen Sie wäre; so wird
doch der Enkel aufstehen, an Ihren Denkmalen weihen, und
Ihren Verdiensten Gerechtigkeit widerfahren lassen. Die
späten Belohnungen sind herrlicher als die frühen; diese erhält oft das falsche rauschende Verdienst; jene ist eine
Frucht des Nachdenkens und fällt also immer auf das wahre
Verdienst. Fahren Sie getrost fort, unserm Vaterlande nützlich zu seyn, und trösten Sie sich einstweilen mit dem süssen
Bewusstseyn, gross und edel gehandelt zu haben. Für den
ersten Band Ihres unsterblichen Werkes [1]) erhalten Sie hier
durch mich von Herrn General von Bouwinghausen eine
Karolin. Ich hoffe den Prinzen von Coburg, den Präsidenten
von Gemming und vielleicht auch die Herzogin, wenn sie zu-
rückkömmt, in unser Interesse zu ziehen. Hier fehlt's entweder an Geld, oder an Kenntniss, oder an Willen, oder an
Geschmack. In England hätten Sie mit Ihrem edlen patriotischen Versuche bereits Tausende gewonnen, da Sie jezt bey
uns Tausende verlieren. — Möchten Sie doch auch noch den
grossen Plan ausführen, uns die Uebersetzungen der Alten
in chronologischer Ordnung zu liefern, so wie sie Fabrizius
in seinen griechischen und lateinischen Bibliotheken herzählt.
Mit Vater Homer könnten Sie den Anfang machen. Der
erste Band enthielte: das Leben und den Geniuscharakter
dieses grossen Dichters. Der zweyte und dritte Band: die
Iliade nach Bürgers Uebersetzung, dem Sie die restirenden
Bücher gar leicht abhandeln könnten. Hinter jedem Gesange
müssten archäologische, ästhetische und andere erläuterte Bemerkungen nach Art der Ebertschen hinter Youngs Nacht-
gedanken zu stehen kommen. Der vierte und fünfte Band:

---

[1]) Leben und Bildnisse der grossen Deutschen.

5

die Odyssee nach Vossens herrlicher Uebersetzung. Da sein Kommentar nächstens herauskommen wird; so könnte man selbigen bey den Anmerkungen stattlich benutzen. Der sechste Band enthielte sodann die Batrachomyomachie nach Willamov und die Hymnen nach dem alten Grafen von Stollberg.

Auf diese Art könnte man mit den griechischen Dichtern fortfahren, Orpheus Hymnen nach Küttner und Grillo, die Hymnen des Kallimachos nach der Uebersetzung meines Sohnes in Berlin, die noch ungedruckt und von Kennern als trefflich anerkannt ist. Degens Anakreon, Gedike's Pindar, Grillo's Theocrit, Moschus und Bion; die griechischen Tragiker nach Stollberg, Alxinger, Tobler und dem hiesigen Professor Nast, der wirklich den Euripides metrisch übersezt. So könnte man mit der ganzen Literatur der Griechen fortfahren, und das wenige Fehlende gar leicht ergänzen. Wenn Sie, Freund meines Herzens, auch in diesen Plan hineingehen wollen; so will ich sie nach äussersten Kräften unterstützen. Es ist hohe Zeit, dass wir die Liebe zur alten Literatur wieder unter unsern Landsleuten wecken, sonst sinken wir wieder in die alte Barbarey zurück. Wenn Sie mir ein vollständiges Exemplar der Schwanischen Schreibtafel und der Rheinischen und Pfalzbayerischen Beyträge zu verschaffen die Gewogenheit haben wollen; so würden Sie mir dadurch einen neuen Beweis Ihrer grenzenlosen Freundschaft geben. Ich möchte sogar gern alle diejenigen Produkte beysammen haben, wodurch sich die Mitglieder der Ersten deutschen Gesellschaft so ruhmvoll auszeichneten. Und wie sehr freue ich mich auf Ihre Gedichte hin, von denen ich bereits schon so manchen einzelnen Funken bewunderte! Auf die Ephemeriden N. Ihres Theaters bin ich sehr begierig, weil ich immer mehr überzeugt werde, dass Sie bey weitem die Erste Bühne in Deutschland haben. Aber wie ein Donnerschlag vom wolkenlosen Himmel hat mich die Nachricht erschreckt, dass Sie Ihren trefflichen Iffland verlieren sollen. Es ist gefährlich, wenn solche Sterne am

dramatischen Olympos erlöschen. — Kommen sie oft zu
Moser,[1]) diesem grossen deutschen Patrioten? Sein patrio-
tisches Archiv ist mein Seelenfest. Doch wie viel hätt' ich
Sie zu fragen, herziger, lieber Klein, aber um Ihre Geduld
nicht zu missbrauchen; so umschling' ich Sie mit den Armen
des Geistes, und wünsch' Ihnen Gesundheit und der Lebens-
freuden viele — vorzüglich von der Art, die uns mit
Ahnungen unserer künftigen grossen Bestimmungen durch-
schaudern. Ihrem Dalberg, der den Namen Excellenz mit
so vieler Wahrheit trägt, empfehlen Sie mich tief und innig.
Dem biedern, trefflichen, thatenstrebenden Schwan schreibe
ich selber.

> Ewig Ihr Schubart mit
> der kranken Rechte.

Wie viel Anteil Schubart an Klein nahm und wie sehr
er sich damals mit ihm in Gedanken beschäftigte, geht aus
dem Anfang seines nächsten Briefes (Stuttgart, den 18. April
1789)[2]) hervor: „Beurtheilen Sie mich ja nicht nach meinem
langen Stillschweigen; denn ich bin ein verzweifelt zäher
Briefsteller; sondern beurtheilen Sie mich vielmehr nach dem
Geständniss, das ich Ihnen wie einen Psalm zujauchze, dass
wenige Tage vergehen, wo ich mich nicht mit meinen litterarischen Freunden von Ihnen unterhalte, einem Manne, der
nach Kopf und Herz einen so hohen Rang in der Gallerie der
Patrioten behauptet.“

Sein Sohn hatte damals Anton Klein einen Besuch in
Mannheim abgestattet. „Für alle das Gute, — so schreibt
er im selben Briefe, — das Sie meinem Sohne erwiesen, den
ihr edler Karakter ganz entzückt hat, seegnet Sie mein
Genius.“ — Zwei Jahre darauf sah Anton Klein andere
Glieder der Schubart'schen Familie bei sich zu Gaste. Schubart hatte seine Tochter, die Schauspielerin und Sängerin,
verehelichte Kaufmann, und seinen Schwiegersohn, den Cello-

---

[1]) Friedrich Karl von Moser, Staatsmann und patriotischer Schriftsteller, geb. 18. Dec. 1723, gest. 10. Nov. 1798. Allg. D. Biogr. 22, 764.
[2]) Malten, Bibl. d. n. W. 2, 169; Strauss-Zeller 2, 268.

5*

Virtuosen Kaufmann, auf die Reise geschickt und ihnen einen Besuch Mannheims empfohlen. Wie bei Schwan,[1] so hatte er auch bei Anton Klein die Ankunft seiner Tochter durch ein Schreiben angekündigt: „Vorzüglich empfahl ich ihr, so schrieb er an letzteren am 11. April 1790 [2]) — Manheim, wo Dalberg und Klein die Musen am Nekkar und Rhein aufgeführt, und ihnen den ersten Tempel in Deutschland errichtet haben. Wer kan sie also sicherer zum Ziele führen, und wer ihr treflicher Cicerone sein, als Klein, der Vertraute jeder Kunst?! Ich empfehle also mein Küchlein Ihrem schattenden Flügel.“

Klein hat sich seiner Schutzbefohlenen in der freundlichsten Weise angenommen und zeichnete sich an ihrem Concertabend durch besondere Liebenswürdigkeit aus: „Geheimerrath von Klein, (so berichtet eine redselige Briefschreiberin)[3] führte die Madame Kaufmann im Theater, schritt durch den Saal auf das Orchester und Alles flüsterte: Das ist Schubarts Tochter! Sie trug ein Kleid von rosa Atlas mit schwarzem Pelz verbrämt und sehr hohe Federn, weil sie sehr klein war.“

[1]) Das Empfehlungsschreiben an ihn ist im Facsimile abgedruckt in Friedrich Götz, Geliebte Schatten, Mannheim 1858 No. 11.

[2]) Der Brief ist abgedruckt bei Malten Bibl. d. n. W. 2, 221 und Strauss-Zeller 2, 280.

[3]) Louise Pistorius, geb. Schwan an Emilie von Gleichen. Briefe an Schiller, hrsg. von F. Urlichs 1877, S. 35.

12.

Reisen nach Wien.

(1783—1787.)

In den Jahren 1783 bis 1787 hat Klein mehrere Reisen nach Wien unternommen, welche bereits Gegenstand einer besonderen Abhandlung geworden sind.[1])

Nach dieser weilte Klein in den betreffenden Jahren mehr in Wien als in der Pfalz. Doch will ich von vornherein den Zweifel äussern, dass Klein wegen litterarischer Arbeiten und seiner Verlagsgeschäfte in diesem Zeitraum so oft und immer so lange in der kaiserlichen Residenz gelebt hat, als es die Hauptquellen des angeführten Aufsatzes[2]) angeben.

Was seine Verlagsgeschäfte in Wien betrifft, so wird er sie die längste Zeit des Jahres über durch seine Collecteurs unter seinem Namen haben besorgen lassen. Klein war ja ein sehr geschickter Unternehmer, dem man eine solche Geschäftsgebahrung schon zutrauen kann. Ueberdies wird er sich schwerlich selbst mit dem Vertrieb der Bücher abgegeben haben — hatte er das doch nicht einmal in Mannheim gethan. Ferner ist auch die häufige Aenderung der Adresse seines Verlags in den Anzeigen des Wienerblättchens ein Anzeichen, dass es sich hier meistens weniger um einen Domicilwechsel Kleins, als um die Verlegung des Geschäftslokales seines Collecteurs handeln wird.

Wir können auch sonst nicht annehmen, dass Klein von 1783 bis 1787 fortwährend zwischen Mannheim und Wien hin und her gereist sein soll; denn er hatte in diesen Jahren

---

[1]) Emil Horner veröffentlichte in den Forschungen zur neueren Litteraturgeschichte, Festgabe für Richard Heinzel, 1898 S. 261 ff. den Aufsatz: Anton von Klein in Wien.

[2]) Die Anzeigen im Wienerblättchen.

in Mannheim selbst durch seine Vorlesungen, durch sein Amt
in der deutschen Gesellschaft und manche Privatarbeit viele
Verpflichtungen zu erfüllen.[1])

Endlich fällt in diese Jahre der Aufenthalt Schillers in
Mannheim, welcher viele Anhaltspunkte über das Verbleiben
Kleins bietet.

E. Horner bezeichnet als Hauptzweck der Wiener Reise
Kleins die Herausgabe der Monatsschrift „Der Spion in Wien".
Doch giebt er selbst zu, dass sich Klein nur ein einziger Aufsatz in derselben „mit einiger Sicherheit" zuweisen lässt.
(S. 265.) Wie kann ihn dann diese Zeitschrift so oft nach
Wien gerufen und dort so lange festgehalten haben? Es
wird also wohl meine obige Annahme und die Vermutung
berechtigt sein, dass Klein vorübergehend ein litterarischer
Mitarbeiter des Spion gewesen ist und sein Name der Reclame
halber auf die Ankündigung gesetzt wurde. So konnte auch
leicht eine Zuschrift an ihn gerichtet sein, ohne dass er deshalb einer der „Hauptredacteurs" des Spion gewesen sein
muss. Hat doch der Doktor der Arzneigelahrtheit Lippert
nach kurzer Zeit schon das Blatt als einziger Geschäftsträger
weitergeführt.

Und endlich hat Klein nie seine Beziehungen zu dem
Spion verraten und auch in dem Verzeichnis seiner Werke
vom Jahre 1803 seine Mitarbeiterschaft nicht erwähnt.

In dem Wienerblättchen taucht Kleins Name zum ersten
Male zu Anfang Oktober 1783 auf. Im Juni desselben Jahres
hatte Klein die Genehmigung zur Errichtung einer eigenen
Druckerei in der Pfalz erhalten.[2]) Er wird deshalb wahrscheinlich im Herbst 1783 nach Wien gekommen sein, um dort
den Vertrieb der „Ausländischen schönen Geister" und anderer Werke seines Verlages zu organisieren.[3])

---

[1]) Vgl. meine Angaben auf S. 54.
[2]) Siehe S. 52.
[3]) Sein Freund Babo hatte ihn schon in seinem Brief vom 16. Juli
1780 aufmerksam gemacht, dass seine Verlagswerke in Wien noch unbekannt waren. Bibl. d. n. W. 2, 344.

In welchem Masse er dann an der Begründung der Monatsschrift „Der Spion" beteiligt gewesen sein wird, kann ich nicht feststellen. Ueberdies ist diese Zeitschrift nichts weiter als eine Reclameschrift, mit welcher kein höherer litterarischer Zweck verbunden war.

Jedenfalls verbrachte Klein wohl schon den Schluss des Jahres wieder in Mannheim und liess die Geschäfte in Wien weiterhin durch seinen Collecteur besorgen: denn in den Anfang Januar 1784 fallen bereits die Vorbereitungen zur Aufnahme Schillers in die deutsche Gesellschaft, welche Klein selbst geleitet hat.[1])

Um die Mitte desselben Monats reiste Klein wiederum nach München,[2]) — ob er von dort nach Wien wirklich weiter reiste, ist nicht erwiesen.[3])

Ich nehme an, dass Klein von München bald wieder nach Mannheim zurückkehrte. Hier trat er dann wieder mit Dalberg und Schiller in regen Verkehr, wie die Briefe Schillers vom Anfang Juni an beweisen.

Auch dafür, dass Klein im Oktober des Jahres wieder selbst in Wien gewesen sein soll, ist mir die Anzeige im Wienerblättchen nicht Beweis genug. Klein interessierte sich gerade damals für die Pläne Schillers, dessen Rheinische Thalia er in seinem Pfälzischen Museum besonders warm dem Publikum empfahl. Am 6. Januar 1785 hat er auch der Aufführung seines „Günther" in Mannheim beigewohnt.[4]) Wohl aber reiste er nach seiner eigenen Erzählung gleichzeitig mit

---

[1]) Seuffert, im Anz. f. d. Alterthum 6, 292; Minor, Schiller 2, 238.

[2]) Schiller an Klein, Mitte Januar 1784, Jonas Sch. B. 1, 170 f. (Anm. S. 485).

[3]) Schiller hätte das eigentlich wissen sollen, er versprach aber nur „nach München" zu schreiben.

[4]) E. Horner bezeichnet dieselbe irrtümlich als die erste Aufführung, während diese bereits am 5. Januar 1777 stattgefunden hatte. Am 6. Jan. 1785 wurde das Singspiel allerdings zum ersten Male im Mannheimer Nationaltheater gegeben, und auch Schiller sah dasselbe bei dieser Gelegenheit zum ersten Male.

dem Weggange Schillers von Mannheim (9. April 1785) wieder nach Wien.[1])

Dieser Angabe Kleins schenke ich mehr Glauben, als den Anzeigen des Wienerblättchens, zumal Klein diese für ihn bedeutsame Begebenheit sicherlich deutlich im Gedächtnis haften geblieben ist, sodass ein Irrtum seinerseits nicht anzunehmen ist.

Für den Spätsommer 1786 lässt sich abermals eine Reise Kleins nach Wien zu längerem Aufenthalt mit Bestimmtheit nachweisen: nach dem Wienerblättchen war derselbe diesmal sogar fast auf ein Jahr berechnet. Dass die Abreise Kleins nach Wien nicht vor Ende Juli 1786 erfolgt ist, geht aus einem Briefe der Erbprinzessin Luise von Hessen (25. Juli 1786)[2]) hervor.

Was Klein alsdann mit seinem „Rudolph" in Wien erlebt hat, werde ich an andrer Stelle berichten. Hier möge noch das interessante Gespräch zwischen dem Kaiser Joseph und Klein einen Platz finden. Es ist in der Nummer des Wienerblättchens vom 28. Juni 1787 mitgeteilt und soll ungefähr folgenden Wortlaut gehabt haben:

K. Joseph: Mit was beschäftigen Sie sich itzt hauptsächlich?

Pr. Klein: Mit Herausgabe des Werks: Leben und Bildnisse der grossen Deutschen. Ich unternahm das Werk, um etwas beyzutragen, dass der Geist der alten deutschen Biederkeit und Tapferkeit unter der Nation wieder erweckt werde.

K. Joseph: Da haben Sie viel zu thun.

Pr. Klein: Bessere Köpfe, als ich, thun nur was sie können.

K. Joseph: Unsere französierten Herren werden nicht viel Geschmack daran finden.

Pr. Klein: Und just sind die französierten die Klasse, von denen das Glück des Werkes abhängt.

---

[1]) Vgl. Vorbericht zu seinen dramaturgischen Schriften S. 15.
[2]) K. U. u. L. B. Strassburg L. Alsat. 1106.

K. Joseph: Schade wars der deutschen Litteratur und
Sprache, dass der König von Pr. nicht viel daraus machte.
Pr. Klein: Deutschland hat seine Hoffnung auf Eure
Majestät gesetzt, dass alles ersetzt werde.
K. Joseph: Ich sprach den König einst hierüber. Die
deutsche Sprache, sagte er, ist nicht kultiviert, nur zu den
gemeinsten Ausdrücken brauchbar, und die Deutschen hätten
noch nichts besonders geleistet. Eure Majestät, erwiderte
ich, haben doch als Deutscher zwölf Schlachten gewonnen."
Zu den litterarischen Arbeiten Kleins während dieser
Wiener Periode zähle ich noch die Herausgabe der „Wahr-
heiten in Ernst und Scherze" und des Spottgedichtes „Der
Genius der Donau an N. N."
Uebrigens hat er sich zweifellos auf seinen Reisen nach
Wien zahlreiche Notizen österreichischer Wörter zu seinem
Provinzial-Wörterbuch gemacht.
Wie geplant war, reiste Klein nach fast einem Jahre
wieder von Wien ab. Die Aufführung seines „Rudolph",
auf welche er gehofft hatte, hatte er allerdings nicht durch-
gesetzt. Ich nehme an, dass seine Abreise gegen die Mitte
Mai 1787 erfolgt ist, denn spätestens um die Mitte des Mo-
nats muss er wieder in München gewesen sein. Ein Gedicht
in der Ausgabe vom Jahr 1793 S. 99 † trägt die Ueberschrift:
„München, den 20sten Wonnemond 1787." [1]

---

[1] Auch zwei andere seiner Gedichte (Ausgabe 1793 S. 42 und S. 87)
weisen schon durch ihren Titel darauf hin, dass sie durch die Wiener Reisen
Kleins veranlasst worden sind.
Knigge wusste ihn zu Anfang Juni wieder in Mannheim. Malten
Bibl. d. n. W. 2, 31.

13.

Fünfte Mannheimer Periode.

(1788—1793.)

Im Jahre 1788 [1]) führte Klein die Tochter des kurpfälzischen Vicckanzlers und Geh. Rates Freiherrn von
Fick als Gattin heim. Nachdem er schon früher geschäft-
lich mit dem Vicckanzler verkehrt und dessen Unterstützung
bei der Regierung gefunden hatte, gab eine jahrelange Bekanntschaft mit der Familie die Veranlassung zu dieser aus-
gezeichneten Verbindung.

In dem ersten Jahre seiner Ehe hatte Klein das Unglück, durch einen Diebstahl einen grossen Teil seiner Wert-
sachen, darunter viele Kupferplatten, einzubüssen. Der Ge-
schädigte streute die Nachricht von diesem anscheinend beträchtlichen Verlust nach allen Seiten hin aus und machte
sich zum Gegenstand allgemeinen Bedauerns. So schrieb
ihm die Pfalzgräfin Maria Amalia von Zweibrücken am
21. Januar 1789: „Des Herrn Pfrs. durch Diebstahl erlittenen
beträchtlichen Verlust habe ich mit Bedauern vernommen.
Ich wünsche sehnlichst dass, gleichwie ein Theil vom ge-
stohlenen Guth schon wieder eingelanget ist, das übrige auch
bald nachkommen möge." Und in der That, zwei Jahre nach-
her fand sich der Rest der geraubten Kunstgegenstände
wieder.

Da der Kurfürst Klein bei jeder Gelegenheit sein Wohl-
wollen bewiesen hatte, und dessen Beziehungen zur Regierung durch seinen Schwiegervater auf das Beste vermittelt
wurden, konnte die fürstliche Belohnung seiner Bemühungen
nicht ausbleiben. Am 20. Juni 1790 machte er in dieser Er-

---

[1]) Nach dem L. L. S. 148, da das Geburtsjahr Anton von Kleins
daselbst irrtümlich auf 1744 angesetzt ist.

wartung eine Eingabe an den Kurfürsten, in welcher er den
allgemeinen Nutzen seiner litterarischen Thätigkeit für die
Pfalz hervorhob und darauf hinwies, dass er „grosse Geld-
summen von mehreren Hunderttausend Gulden durch die
Ausgabe der ausländischen schönen Geister und anderer
Werke, aus dem Ausland in die Pfalz gebracht habe."

Am 13. Juli 1790 erhielt er daraufhin durch ein Patent
des Kurfürsten das Prädicat eines kurpfälzischen Hofge-
richtsrats. Am 14. Juli erfolgte seine Erhebung in
den erblichen Adelsstand. In dem Diplom[1]) heisst
es: „Wann wir nun gnädigst angesehen, wahrgenommen und
betrachtet haben, das gute Herkommen, die adeliche Sitten,
Tugenden, Verstand und Wissenschaft, dann ehr- und red-
liches Verhalten, auch andere vortreffliche Eigenschaften,
womit Unser Churpfälzischer Hofgerichtsrath, geheimer
Secretarius und Lehrer der Weltweisheit und schönen Wissenschaften, dann Geschäftsverweser der Churpfälzischen deutschen Gesellschaft zu Mannheim Anton Klein begabt und
Uns angerühmt — zugleich in Unterthänigkeit vorgestellt
worden, wasmassen die schönen Wissenschaften in Unsern
Landen zu Pfalz durch seine vielfache litterarischen Arbeiten während 15. Jahren auf der einen Seite gute Fortschritte
gewonnen haben, und welche grosse Summen auf der andern
Seite durch seine gute und nützliche Anstalten durch die in
der Pfalz unternommene Ausgabe der ausländischen schönen
Geistern und meherer anderer Werken in das Land gebracht
worden seien, auch derselbe sich immer für das gemeine be-
mühet, sohin sich durch seine eifrige und nützliche Verwendung für das Vaterland viele Vorzüge und Verdienste
gesammelt."

Schon im folgenden Jahre brachte ihm die Herausgabe
des dritten Bandes der „Leben und Bildnisse der grossen
Deutschen" eine neue Ehrung ein. Er widmete nämlich den-

---

[1]) Das wunderschön auf Pergament geschriebene Adelsdiplom mit
dem in Gold, Silber und Farben gemalten Wappen ist im Besitz der K.
U. u. L. B. Strassburg (L. Alsat. 1108).

selben dem Herzog Karl August von Zweibrücken, welcher ihn dafür am 15. Oktober 1791 durch ein Patent zum Pfalz-Zweibrückischen G e h e i m e n R a t ernannte.¹)

Die Feier des f ü n f z i g j ä h r i g e n R e g i e r u n g s - J u b i l ä u m s K a r l T h e o d o r s wurde von der ganzen Pfalz mit grossem Pomp begangen. Anton von Klein stellte sich mit einer Gabe ein, durch welche er zugleich die Huldigung der von dem Kurfürsten beschützten Künste zum Ausdruck brachte. Er gab dem geschickten Zweibrückischen Hofmaler P i t z die Anleitung, unter dem Bilde König Admets und Thessaliens goldener Zeit, den Wohlstand und die Glückseligkeit der Pfalz zu veranschaulichen. Das Ganze sollte eine Allegorie auf den Frieden darstellen. Das Werk, von Pitz im Geschmacke Raphaels in Gouache ausgeführt, soll vortrefflich gelungen sein. Darauf soll „jede, von dem wohlthätigsten Churfürsten zum Besten des Landes getroffene Anstalt und gemachte Einrichtung, immer unter König Admets und Thessaliens Bild, in der schönsten Anordnung und künstlichsten Ausführung zu sehen gewesen sein.“²)

Anton von Klein reiste schon vor dem Feste nach München, um das Kunstwerk Karl Theodor persönlich zu überreichen. Ihn begleitete damals der berühmte kurpfälzische Hofkupferstecher, Professor der Zeichnungsakademie A e g i d V e r h e l s t, um ein anderes von dem Hofmaler J o h. J o s e p h L a n g e n h ö f f e l vortrefflich entworfenes, von ihm aber meisterhaft gestochenes Bild dem Kurfürsten ebenfalls vorzulegen.³)

Mit der Herausgabe des d e u t s c h e n P r o v i n z i a l - W ö r t e r b u c h e s in dem Jubiläumsjahre Karl Theodors

---

¹) Zwei diesbezügliche Briefe und das Decret sind in der K. U. u. L. B. Strassburg.

²) Die Analyse des zu Grunde liegenden Gedankens ist im L. L. S. 129 in der Anmerkung abgedruckt. 1792 erschien zu dem Bilde auch eine weitschweifige Darstellung der segensreichen Regierung Admets.

³) Näheres in „Denkmal auf die fünfzigjährige Regierung und Vermählung Carl Theodors“. München bei Johann Baptist Strobel 1795, S. 77 ff.

(1792) und der Veröffentlichung seiner Gedichte (1793) erreichte die productive Thätigkeit Kleins einen vorläufigen Abschluss, welcher in den äusseren Verhältnissen seine Ursache hatte. Ebendeshalb wurden auch die deutsche Gesellschaft und die Akademie der Wissenschaften bereits in ihren Dispositionen beschränkt. In der Akademie war seit drei Jahren die Stelle eines beigeordneten Secretärs, welche Hemmer bis zu seinem Tode (1790) inne hatte, unbesetzt geblieben. Als im Jahre 1793 zwei weitere Mitglieder, der Geh. Rat von Günter und der Historiograph von Necker gestorben waren, bat die Akademie, wenigstens das historische Fach wieder zu besetzen, welches Necker ein Gehalt von 600 Gulden eingebracht hatte. Von Traitteur, Anton von Klein und Wedekind wurden zur Besetzung vorgeschlagen, aber die Zeitumstände waren bereits bedenklich, und der Kurfürst besetzte keine der drei erledigten Stellen wieder, sondern zog die 600 Gulden ein.[1])

14.
Die Kriegsjahre und ihre Folgen.
(1793—1803.)

Inzwischen waren die linksrheinischen Besitzungen der Pfalz bereits von den republikanischen Truppen überflutet worden. Die Gefahr für die gegen einen Angriff nicht genügend gesicherte Stadt Mannheim wuchs beständig.

Klein war inzwischen wiederum nach München gereist und schrieb von dort noch am 15. Februar 1793 an den Hofrat Lamey:[2]) „Die Nachrichten von Mannheim und dor-

---

[1]) Akten G. L. A. Karlsruhe.
[2]) Briefe an Lamey, G. L. A. Karlsruhe.

— 78 —

tigen Gegenden werden immer wichtiger und machen hier viel Aufsehens. Indessen hofft man hier noch immer das beste für die Pfalz und unser gnädigster Herr, der sich stets in bestem Wohlseyn befindet, sagte mir noch kürzlich, Er glaube nicht, dass Mannheim etwas zu befürchten habe."

In der That glaubte der Kurfürst in seiner Sorglosigkeit immer noch, die Pfalz könne ihre Stadt selbst genügend verteidigen und schenkte dem Drängen der kaiserlichen Generale, die Stadt zu befestigen, kein Gehör.

Aber bald gingen die Franzosen auch auf das rechte Rheinufer über und mit dem September 1795, als der französische General Pichegru vor Mannheim erschien, begann eine traurige Zeit für die Stadt, in welcher sie — ein Spielball des Krieges — aus einer Hand in die andere gegeben wurde. Die schimpfliche Uebergabe Mannheims an Pichegru am 20. September 1795 machte den Anfang.[1] Im November desselben Jahres folgte nach einer völligen Einschliessung das zerstörende Bombardement der Stadt durch den österreichischen General Wurmser, welches enormen Schaden verursachte.[2]

Der Krieg dauerte über den Frieden von Campo Formio (Oktober 1797) und den Rastatter Congress (November 1797) hinaus.

Pfälzische, österreichische und französische Besatzungen wechselten wiederholt im Besitze der Stadt.

Im Dezember 1798 begann auf den Befehl des Kurfürsten die Demolierung der Festungswerke, um die Stadt vor weiteren Belagerungen zu schützen.

Bald darauf war Karl Theodor (am 16. Febr. 1799) gestorben[3] und der neue Kurfürst Maximilian Joseph, der

[1] Heigel, Die Uebergabe der Festung Mannheim an die Franzosen am 20. September 1795. München 1893.

[2] Die ausführliche Geschichte dieser Zeiten geben: Häusser, Geschichte der rheinischen Pfalz und Hauck, Geschichte der Stadt Mannheim zur Zeit ihres Ueberganges an Baden (Forsch. z. G. Mannheims u. d. Pfalz).

[3] Die Kurfürstin war im August 1794 gestorben. Im Februar 1795 hatte sich Karl Theodor nochmals vermählt.

Bruder des am 1. April 1795 gestorbenen Pfalzgrafen Karl
August von Zweibrücken, hatte die Regierung angetreten.

Auf seinen Befehl wurde die Demolierung der Mannheimer Festungswerke wieder eingestellt: die Stadt fiel abermals im März 1799 in die Hände der Franzosen, denen sie
wieder durch den siegreichen Sturm des Erzherzogs Karl im
September d. J. entrissen wurde.[1]) Abermals wechselten
französische und pfälzische Besatzungen ab, nachdem die
Franzosen bereits im nächsten Monat die Stadt wieder ein-
genommen hatten. — Die äusseren Stürme hatten damit ihr
Ende erreicht. Der Waffenstillstand zwischen Oesterreich
und Frankreich führte endlich am 10. Februar 1801 zu dem
Frieden von Luneville.

Anton von Klein hat diese Schreckensjahre zur läng-
sten Zeit in Mannheim mit erlebt. Während derselben traf
ihn auch in seiner eigenen Familie manches Missgeschick.
Seine Verwandten waren durch die Revolution und den Krieg
in das Unglück geraten.[2]) Er soll ihr Schicksal oft durch
Aufopferung beträchtlicher Summen gelindert haben.

Mit dem Herannahen der Franzosen ergab sich für Klein
die Notwendigkeit, seine Kunstschätze in Sicherheit zu bringen.
Er hoffte, sich dieser Sorge durch den Verkauf der Malerei-
und Kupferstichsammlung entledigen zu können. Aber die
wenig trostreiche Antwort, welche er diesbezüglich von dem
Freiherrn Albert v o n B ü h l e r aus Wien[3]) erhielt, kam
auch von allen anderen Seiten. Denn bei den kriegerischen

---

[1]) Klein hatte den siegreichen Feldherrn bereits 1797 in einer Ode
gefeiert.

[2]) Siehe L. L., S. 144. Es ist dies die einzige Nachricht über das
Schicksal derselben, ebenso wie das nachbezeichnete Billet aus Strassburg
allein von seiner Schwester Kunde giebt. Dasselbe ist von einem gewissen
Villard an Klein gerichtet und ist datiert: quai des bateillez No. 29 a
Strassburg 93 8r. 13e. Es enthält die Forderung: „Monsieur le conseiller
Klein peut remettre la somme de neuf cent trante huit livres, et traise
sol, quil me doit pour la pention de sa soeur et ce que je luy ai avencé.“
K. U. u. L. B. Strassburg.

[3]) K. U. u. L. B. Strassburg. Brief vom 14. März 1794.

Zeitumständen schränkten sich die „grossen Herren" bereits in ihren Ausgaben ein. Infolge dessen wandte er sich nach München und erhielt vom Kurfürsten die Erlaubnis, seine Sammlungen dortselbst „an jedem höchsten Orte, wo er wolle", in Sicherheit zu bringen. [1]

Bei dem ersten Herannahen der Franzosen f l ü c h t e t e sich Klein, der eben erst eine schwere Krankheit überstanden hatte, nach Ulm. In diesen unglücklichen Verhältnissen gebar ihm hier seine Gattin im M ä r z des Jahres 1 7 9 4 einen S o h n: K a r l A u g u s t. Klein hatte sich bei dem Herannahen des frohen Ereignisses an den Kurfürst und die Kurfürstin um die Uebernahme der Patenschaft gewendet, [2] welchem Wunsche nur die Kurfürstin im gegebenen Falle nachzukommen versprach. Nach der Geburt erwiesen aber der Herzog K a r l A u g u s t v o n Z w e i b r ü c k e n und dessen Gemahlin Klein diese Auszeichnung, indem sie seinen Sohn durch den Reichsgesandten Freiherrn v o n H e r t - l i n g und dessen Frau, geb. Gräfin v o n M i n u c c i, zu Ulm über die heilige Taufe heben liessen. Kaum hierauf nach Mannheim zurückgekehrt, wandte sich Klein mit seiner Familie vor dem abermals heranziehenden Feinde in grosser Bestürzung aufs neue zur Flucht. [3] Später entging er aber mit seiner Familie doch nicht der Belagerung und dem furchtbaren Bombardement, das fast die ganze Stadt und einen Teil des Schlosses selbst in Trümmer legte.

Ein neues Unglück traf ihn, als ihm noch während des Krieges seine Gattin durch den Tod entrissen wurde. Sie hinterliess ihm ein beträchtliches Vermögen.

Seine Lehrthätigkeit hatte bereits im Jahre 1781 eine empfindliche E i n s c h r ä n k u n g erfahren, da in diesem Jahre sein öffentliches Vorlesungszimmer den Lazaristen ein-

[1] K. U. u. L. B. Strassburg. Brief von Dusch aus München 11. April 1794.

[2] Vier Briefe von Plouguel aus München, Februar und März 1794. K. U. u. L. B. Strassburg.

[3] Siehe Einzelheiten im L. L., S. 148 f.

geräumt werden und seine öffentlichen Vorlesungen aufhören mussten. Aber auch die Bezüge, welche er bisher genossen hatte, stellten sich bald nicht mehr ein. „Im Jahre
1793 hörte die Akademie der Wissenschaften auf — so berichtet Klein selbst [1]) —, der deutschen Gesellschaft die
gnädigst bestimmten 600 Gulden auszuzahlen. Ich bezog also
seit dieser Zeit die mir als beständigem Geschäftsverweser
davon angewiesenen jährlichen 150 Gulden und 50 Gulden
Correspondenz- und Frachtgelder nicht mehr.[2]) Bald her-
nach wurden die freyen Schreibmaterialien und Wachslichter
von der Hofkammer nicht mehr verabfolget.“

Die Unterstützungen, die er sich im Laufe der Jahre
verschafft hatte, erloschen wieder. 1795 wurde ihm auch
die Abgabe des bisher bezogenen Heizmaterials verweigert.

Wie es damals mit seinen V o r l e s u n g e n stand, erfahren wir aus einer Bittschrift Kleins an den Kurfürsten
am 3. November 1795.[3]) Darin heisst es: „Obschon ich durch
nirgend ein Rescript zu Vorlesungen verbunden bin, sondern
blos die Erlaubniss, öffentliche Vorlesungen zu halten habe,
und Eure Churfürstliche Durchlaucht mir die gnädigsten
Unterstützungen zu meiner Ermunterung und Belohnung
grossmüthigst bewilligten, weil höchstdieselben, laut mehreren Rescripten, das Verdienst huldreichst anerkannten, das
ich mir um das Vaterland erworben habe, so begreife ich
doch nicht, wie man Eurer churfürstlichen Durchlaucht berichten konnte, dass meine Vorlesungen gänzlich aufhören.
Noch Niemanden schlug ich Unterricht zu geben ab; noch
kein Jahr verging, wo ich nicht mehrere junge Leute unter-
richtete, und für nächsten Winter haben sich wieder Verschiedene zu Vorlesungen gemeldet.“

Ungeachtet aller Misslichkeiten suchte er seinen geschäftlichen Unternehmungen neues Leben zu verleihen.
Er hatte sich bereits am 13. Oktober an den Kurfürsten ge-

[1]) In der Eingabe 1803 Akten G. L. A. Karlsruhe.
[2]) Vgl. dagegen Seuffert Anz. f. d. A. 6. 1880 S. 291.
[3]) G. L. A. Karlsruhe.

6

wandt, indem er „die äusserste Wichtigkeit, von welcher sein
Gewerb bisher für das Vaterland gewesen ist," hervorhob
und erklärte: „Ich bin gesonnen, demselben durch neue Entre-
prisen und dazu verwendete beträchtliche Kapitalien einen
neuen Schwung zu geben." Zu diesem Zweck bat er, ihn dadurch zu unterstützen, dass der Kurfürst seiner am 2. Juni
1781 privilegierten Buchhandlung den Titel und die Rechte
einer Churfürstlichen H o f b u c h h a n d l u n g erteilen
möge.

Da er ohne Nachricht blieb, wiederholte er seine Bitte:
„Sollte wegen einem etwa schon vorwaltenden Privilegium
exclusivum es mit dem Titel einer Hofbuchhandlung Anstand haben, so begnüge er sich damit, dass ihm für seinen
bisherigen Kunst- und Bücherhandel en gros die Rechte und
der Titel einer churfürstlich privilegierten Handlung verliehen werde." Obwohl der beauftragte Comissar v. Reichert
und die Regierung [1]) die Erlaubniserteilung befürworteten,
meldete ein churfürstliches Rescript vom 14. März 1796,
dass der Kurfürst die in seiner Stadt Mannheim „allschon
hinreichend bestehenden Buchhandlungen zu vermehren gnädigst nicht gewillt sei." [2])

Wie es Klein in den letzten Kriegsjahren ergangen ist,
haben wir bereits erfahren. Infolge der allgemeinen Er-

---

[1]) Bei dieser war damals ein „V i c e k a n z l e r von Klein" thätig,
welcher in der einschlägigen Litteratur wiederholt zu Verwechslungen mit
Anton von Klein Anlass gegeben hat.

[2]) Erst wenige Wochen vorher war dem Hofgerichtsrat Georg Joseph
Wedekind die Erlaubnis zur Errichtung einer Buchhandlung erteilt worden,
und neben dieser bestanden noch die Schwanische, Löfflerische, akade-
mische und Benderische Buchhandlungen. Von Reichert spricht in den
Akten über die P r i v i l e g i e n d e r B u c h h a n d l u n g e n und macht die
V o r g ä n g e r S c h w a n s namhaft: „Ein Privilegium exclusivum einer
Hofbuchhandlung existirt nicht, denn der Ffurter Bürger und Buchhändler
Knoch erhielt d. 23. April 1733 nichts als das Predicat eines Hofbuchhändlers nebst einem Patent darüber, mit der Erlaubnis einen Buchladen
dahier aufrichten zu dürfen. Nach dessen Ableben suchte zwar dessen
Wittib für ihren Sohn ein gleiches privilegium mit dem Zusatz, dass keine
andere Buchhandlung mehr errichtet werden dürfe: allein er erhielt unterm

schöpfung des Landes, welche dieselben zurückliessen, ver-
ordnete der Kurfürst im Juli 1801 „zur Aufrechterhaltung
der durch den leidigen Krieg so sehr geschwächten geistlichen Fonds" d i e   E i n z i e h u n g   s ä m m t l i c h e r
P e n s i o n e n an. In seiner Eingabe vom Jahre 1803
schildert Klein seine damalige Lage: „1801 wurden mir
wegen Verfall der Administration 200 Gulden entzogen, obschon in dem gnädigsten Rescript von 1775 ausdrücklich an-
geordnet wird, dass diese 200 Gulden in der Folge aus einem
anderen Fond würden zugetheilt werden. Ich sah in einer
Zeit, da ich von meinem Vermögen, das sich in den Händen
der Franzosen befand, nichts erhalten konnte, mir jährlich
also von meinem Gehalte über 500 Gulden entzogen.

Mir bleiben 500 Gulden übrig, weniger, als die geringsten Staatsdiener erhalten, und dieser Rest wurde 4 Jahre
nicht bezahlt.

Neue Staatsverwalter, unkundig meiner geleisteten
Dienste, und stets fortdauernden, in mehrerer Hinsicht dem
Staate nützlichen Beschäftigungen, setzten mich sogar in
die Liste der Quiescenten, welches mich auf's äusserste
kränkte.[1])

Auf meine Vorstellungen am Hofe ward ich auf die
bald erfolgende Organisation vertröstet; es ward mir Ersatz
und die Besoldung der längst dienenden und thätigsten
Staatsbeamten verheissen."

Doch musste er erst die Entwicklung der ä u s s e r e n
V e r h ä l t n i s s e abwarten.

Als sich nach dem Frieden von Luneville das Schicksal
der durch achtjährige Kriegszeit verwüsteten rheinischen

---

16. Februar 1739 nichts als das Predicat eines Hofbuchhändlers, wie es
sein Vater hatte: — und so ging dieses Privilegium mittels cession und
höchsten Genehmigung unterm 11. Dec. 1764 von dem jungen Knoch an
seinen Schwager Esslinger und von diesem unterm 15. Jan. 1770 an seinen
Tochtermann tit. Schwan über.

[1]) In den Akten befindet sich ein Gesuch Kleins vom 29. Aug. 1801,
in welchem er bittet, in Auszahlung der Besoldungen den Aktivdienern
gleich gehalten zu werden.

6*

Pfalz entscheiden musste, befand sich auch Klein, wie ehemals bei dem Wegzuge des Hofes i. J. 1778, unter den Männern, welche noch im letzten Augenblick die Fürsorge des Landesherrn für sein aufgegebenes Land zu erbitten hofften. Er versuchte es, die Markgräfin A m a l i e v o n B a d e n als Fürsprecherin der vaterländischen Sache zu gewinnen und erhielt von ihr aus München am 14. März 1803 die Antwort: „Was den Auftrag der F ü r b i t t e beim Churfürsten f ü r d i e S t a d t M a n n h e i m betrift, können Sie überzeugt sein, dass ich voll warmer Theilnahme mit ihrem Schicksal mein möglichstes angewandt habe, um etwas zu ihrem Besten vom Churfürsten auszuwirken, allein alle meine Versuche waren zu meinem grossen Leidwesen gänzlich fruchtlos, indem er aller Freundschaft ungeachtet die er mir übrigens in jeder Gelegenheit beweist, hier unerbittlich blieb und mir immer antwortete, das Wohl seiner jetzigen Länder erlaube ihm nicht anderst zu handeln. Wie sehr ich dies bedauere und wie innig es mich schmerzt, da nicht helfen zu können wo ich es so sehr wünschte, werden Sie wohl selbst begreifen, da Sie unmöglich von meiner Zuneigung und an dem Antheil den ich an der armen Stadt Mannheim nehme zweifeln können."

Aber inzwischen waren die Würfel schon gefallen. Am 23. November 1802 war bereits der grösste Teil der rheinischen Pfalz mit den Städten Heidelberg und Mannheim in den Besitz Badens übergegangen und im Juni des Jahres 1803 huldigte Mannheim dem Kurfürsten Karl Friedrich von Baden.

15.

Die letzten Lebensjahre.

(1803—1810.)

Es ist bezeichnend für die Lebensklugheit Anton von Kleins, dass er sofort sein persönliches Interesse wahrzunehmen wusste, als sich der Besitzwechsel in der Pfalz vollzog. Ohne Umstände unternahm er es schon am 20. Februar 1803 in einer grösseren Zuschrift[1]) an den neuen Landesherrn, die Aufmerksamkeit desselben auf sich zu lenken und die Hoffnung auf eine Wiedererstattung seiner ehemaligen Einkünfte auszusprechen. Indem er diese Bittschrift mit der Begründung einleitet, „dass er es für seine Pflicht halte, Rechenschaft von demjenigen zu geben, was er zur Erreichung des Zweckes geleistet habe, den ihm der Regent bei seiner Aufnahme zum pfälzischen Staatsdiener vorgesteckt hat," giebt er in dem ersten Teile derselben einen Ueberblick über seine öffentliche und litterarische Thätigkeit. Im zweiten Teile kommt er auf seine Vermögensverhältnisse und einstigen Bezüge zu sprechen. Er schliesst mit der Bitte, seine erlittenen Verluste zu ersetzen und ihm eine mit den Gehältern anderer pfälzischen Staatsdiener im Verhältnis stehende Besoldung zu gewähren.

Hatte er zu Zeiten Karl Theodors stets „das Vaterländische Interesse und die schönen Wissenschaften" in den Vordergrund gestellt, so wusste er jetzt seinen Bemühungen das „Verdienst der Verbreitung der Aufklärung und Erhöhung der edleren Industrie" nachzurühmen, um das Interesse Karl Friedrichs zu erregen. Es hat nicht den Anschein, dass dieses Gesuch sogleich den gehofften Erfolg hatte, wenig-

---

[1]) Akten G. L. A. Karlsruhe, Baden Mannheim. Von Klein 1803.

stens rühmt sich Klein erst mehrere Jahre später der Gunst seines neuen Landesherrn.[1])

Nach langer Ruhepause trat Klein wieder im Jahre 1802 mit einem Werke an die Oeffentlichkeit. Es war dies sein grosses Gedicht „Athenor", welchem er noch mehrere Jahre der Ueberarbeitung widmete. Mit dieser dichterischen Bethätigung und der Fortsetzung seines biographischen Werkes nahm er seine litterarische Thätigkeit wieder auf. 1804 erschien die z w e i t e Ausgabe des „Athenor", 1805 der V. B a n d der „L e b e n u n d B i l d n i s s e d e r g r o s s e n D e u t s c h e n" und 1807 die d r i t t e Ausgabe seines Gedichts. Seine Correspondenz in diesen Jahren bezieht sich denn auch im wesentlichen auf diese seine Werke, wie uns Briefe von T i e d g e , H o t t i n g e r , W e i s s e , P f e f-f e l u n d M o z i n [2]) zeigen.

Waren zu den „goldenen Zeiten" der Pfalz Auszeichnungen und klingende Belohnungen im Ueberflusse unter die Gelehrten und Künstler ausgestreut worden, so verspürten alle, welche durch das Protektionswesen der pfälzischen Regierung zu Ansehen gelangt waren, bei den drückenden äusseren Umständen die berechtigte Zurückhaltung der badischen um so empfindlicher.

Dieser Mangel und der Umstand, dass die Kriegsjahre die schriftstellerische Thätigkeit ohnehin gehemmt hatten,

---

[1]) Der Grossherzog liess ihm i. J. 1807 zum Danke für ein Exemplar der L e b e n und B i l d n i s s e d e r g r o s s e n D e u t s c h e n eine goldene Tabatiere überreichen. Brief von Geusaus und Concept der Danksagung Kleins, K. U. u. L. B. Strassburg. Er widmete dem Kurfürsten Carl Friedrich zu gleicher Zeit dasselbe Kunstblatt, welches er Carl Theodor zu dessen fünfzigjährigen Regierungs-Jubiläum überreicht hatte; den lobpreisenden Text zu dem Stich, dessen Platte er offenbar wieder verwendete, änderte er unter Beziehung auf den neuen Landesherrn um. Die Widmung lautet: Thessaliens goldne Zeit, gezeichnet von Pitz, radiert von d'Argent, in Oel gemalt von Pozzi, entworfen und dem Durchlauchtigsten Kurfürsten Carl Friedrich gewidmet von Anton von Klein. (Grossh. Bad. Hof- u. Landesbibl. Karlsruhe.)

[2]) M o z i n, französischer Grammatiker, geb. 1771 zu Paris, gest. 1840 zu Stuttgart. Siehe Nouv. Biogr. Générale 36, 854.

brachten Anton von Klein der Gefahr nahe, bei dem grossen
Publikum in Vergessenheit zu geraten. Dieser vorzubeugen,
und seine Zeitgenossen in der Heimat daran zu erinnern, dass
er sich Verdienste erworben hatte, welche ihm auch im
Auslande allgemeine Anerkennung zu-sichern mussten, unternahm er eine R e i s e n a c h P a r i s, die er zu Anfang des
Jahres 1806 antrat, um sich dort längere Zeit seinen Studien
und dem Genusse der aus allen Ländern zusammengetragenen
Kunstschätze hinzugeben. Dies war schon lange sein sehn-
lichster Wunsch gewesen, zumal er mit vielen französischen
Gelehrten in brieflichem Verkehr stand.

Auch bot ihm zu dieser Zeit noch ein anderer äusserst
günstiger Umstand die Hand. Der Freiherr E m m e r i c h
J o s e f v o n D a l b e r g, [1]) Sohn seines berühmten Freun-
des, des hochverdienten Intendanten W o l f g a n g H e r i -
b e r t v o n D a l b e r g, war damals mit dem kurbadischen
Gesandtschaftsposten am Hofe Napoleons betraut.

Der kluge, intelligente kurbadische Gesandte, selbst ein
Mann von gewandten, gefälligen Umgangsformen, ebnete
seinem Landsmann von vornherein die Wege, besonders in
den diplomatischen Kreisen. Auch stand Anton von Klein
die Empfehlung seines Vetters F r a n z J o s e p h B i s c h o f
v o n T o u r n a y zur Seite.[2]) So ist es zu begreifen dass ihm,
als er um die Mitte des Februar [3]) in Paris eintraf, von Anfang an ein ungemeines Interesse bezeigt wurde. L e b r e -
t o n, [4]) der beständige Sekretär der Klasse der schönen

---

[1]) Biographische Angaben und die Charakteristik seiner diplomatischen
Thätigkeit giebt Dr. K. Obser: „Politische Correspondenz Karl Friedrichs
von Baden“. Heidelberg 1896 (IV. Bd. S. LX der Einleitung). Derselbe
tritt der irrigen Behauptung der Nouvelle Biogr. Génér. (12, 801) entgegen,
J. von Dalberg habe nur dem Namen nach als Gesandter figuriert, während
ein anderer die Geschäfte geführt habe. — Ueber seine Heirat siehe Götz,
Geliebte Schatten, S. 22 a.

[2]) Siehe dessen Brief im Anhang.

[3]) Nach Pariser Briefen im Besitz der K. U. u. L. B. Strassburg, nicht
erst im Juni, wie das L. L. angiebt.

[4]) Joachim Lebreton, französischer Schriftsteller, (seit 1796 Mitglied des Instituts) wurde 1803 Mitglied der III. Klasse (histoire et litté-

Künste, bewillkommnete ihn bei seiner Ankunft im Namen des N a t i o n a l i n s t i t u t s und lud ihn zu den Sitzungen ein, wo ihm seiner anerkannten Verdienste wegen der Sitz unter den Mitgliedern selbst angewiesen wurde.[1]) Ebenso nahm er an den Sitzungen des A t h e n é e d e s A r t s[2]) teil, welches ihn am 1. März zum c o r r e s p o n d i e r e n d e n M i t g l i e d ernannte.[3])

Näheren Umgang pflegte er mit den Mitgliedern des Nationalinstituts D e S a l e s,[4]) M i l l i n[5]) und D e G e r a n d o[6]) wie einige Einladungen und Briefe derselben aus der Zeit des Aufenthaltes zeigen.[7])

Die Empfehlungen E m m e r i c h J o s e p h v o n D a l - b e r g s brachten Klein den grössten Nutzen. Er scheint nicht nur in dessen Haus, welches ihn mit vielen Landsleuten zusammenführte, längere Zeit als Gast gelebt zu haben,[8]) sondern er erhielt durch die Vermittlung des kurbadischen Gesandten auch Zutritt zu den höchsten diplomatischen Kreisen und wurde selbst bei Hofe aufgenommen. Auch der

---

rature ancienne) und beständiger Secretär der IV. Klasse (beaux-arts). Nouv. Biogr. Univers. 30, 126.

[1]) L. L. S. 121.

[2]) La société (de Paris) connue sous le nom de musée, prit celui de lycée en 1794, et enfin d'Athenée des arts en 1803 (St. Laurent). Larousse Grand Dictionn. du XIX e. siècle 1, 859.

[3]) Brief von D u c h e s n e K. U. u. L. B. Strassburg.

[4]) Siehe folgende Seiten.

[5]) M i l l i n (Aubin-Louis), französischer Alterthumsforscher, geb. 1759 gest. 1818, Conservator des Cabinets der Antiken und Medaillen der Nationalbibliothek, seit 1795 Leiter des Magasin encyclopédique für historische Wissenschaften. Nouv. Biogr. Génér. 35, 538 f.

[6]) D e G e r a n d o Joseph-Marie, baron de, seit 1804 Mitglied der Académie des Inscriptions et Belles - Lettres und General - Sekretär des Ministers des Innern, M. de Champagny. Näheres über diesen bedeutenden Staatsmann und Schriftsteller Nouv. Biogr. Génér. 20, 142.

[7]) K. U. u. L. B. Strassburg.

[8]) Die meisten der zahlreichen Briefe der K. U. u. L. B. Strassburg, welche Klein betreffen, sind an E. J. von Dalberg adressiert. Ich habe auch ein eigenhändiges Billet E. J. von Dalbergs an Klein unter dem handschriftlichen Material gefunden.

Kronprinz Ludwig von Baiern[1]) empfing ihn öfters und lud ihn mehrere Male zu sich ein,[2]) desgleichen der Minister des Innern De Champagny.[3])

Anton von Klein hatte sich alsbald auch als Schriftsteller und Kunstkenner bei seinen französischen Gastgebern beliebt gemacht. Er war nämlich auf den glücklichen Gedanken gekommen, sein Prachtwerk „Leben und Bildnisse der grossen Deutschen", von welchem er noch die Kupfer besass, in Paris in geeigneter Gestalt verwerten zu können. Er fertigte eine verkürzte französische Prachtausgabe desselben unter dem Titel „Galerie historique des illustres Germains[4]) an und erntete für dieselbe den Dank der Franzosen.

Anton von Klein liess denselben ruhig über sich ergehen, obgleich ihm das Verdienst an der Ausgabe nicht eben allein oder in hervorragendem Masse zukam: die eigentliche Arbeit hatte ein Anderer geleistet, welcher sich nach Anton von Kleins Tode als den eigentlichen Redactor des Werkes bekannt hat: es ist dies das Mitglied des Instituts De Sales,[5]) welcher weniger mit Anton als mit dessen Bruder, dem Professor von Klein in Mainz[6]) intim befreundet war.[7]) Ein Auszug des betreffenden Originalbriefes, in welchem De Sales diese Eröffnung macht, ist im Anhang mitgeteilt.

Klein hat nur selten mit De Sales correspondiert, obwohl er diesen schon seit dem Jahre 1776 kannte, in welchem

---

[1]) Am 1. Januar 1805 hatte sein Vater Max Joseph als Maximilian I. Joseph den Titel König von Baiern angenommen.

[2]) Drei Karten des Grafen von Reuss an Klein. K. U. u. L. B. Strassburg.

[3]) Jean Baptiste Nompère de Champagny: im August 1804 von Napoleon ernannt. Nouv. Biogr. Univ. 9, 620.

[4]) L. L., S. 123.

[5]) Jean-Baptiste-Jsoard Delisle de Sales, französischer Schriftsteller, geb. 1743, gest. 1816. (Siehe Larousse, Dictionnaire du XIXe. siècle 6, 360).

[6]) 1809 zum Professor ernannt.

[7]) Die K. U. u. L. B. Strassburg besitzt 19 Originalbriefe von De Sales an den Professor von Klein in Mainz aus den Jahren 1808—1811.

er von ihm in Mannheim besucht wurde. Der Erbprinz
zu Leiningen hatte dem französischen Schriftsteller
damals einen Empfehlungsbrief an Klein (aus Wilhelmsbad,
den 16. März 1776) mitgegeben, in welchem es heisst:
„Monsieur Delisle de Sales, membre de l'institut National
de France, ein Mann, der durch seine Werke wie durch
seinen Charakter bekannt und in Frankreich geehrt ist, und
den der Consul hochachtet. Ein Ehrenmann, nach dem
grossen Sinn des Wortes. An wen konnte ich e. Freund
bei seiner Durchreise durch Mannheim besser empfehlen, als
an einen unserer schätzbarsten Gelehrten, der jeden Fremden und Gelehrten mit derselben Freundlichkeit empfängt,
wie es die Gelehrten des Alten régime in Frankreich thun!"

De Sales war es auch, welcher wenige Jahre später den
Auftrag übernahm, das Institut von dem Tode Anton von
Kleins zu benachrichtigen. Aus seinem Condolenzschreiben
an den Bruder des Verstorbenen (vom 29. Dezember 1810)
lernen wir eine neue Persönlichkeit kennen, welche hier
unter den Pariser Bekanntschaften gleich erwähnt werden
mag. De Sales schreibt nämlich: „Mad.e la baronne de
Wimpffen est de toutes les personnes qui avaient l'avantage de connaître le célèbre Ch.er de Klein celle qui a montré
les regrets les plus tendants |tendres?| en apprenant la
nouvelle de sa perte.[1]

Das Unternehmen der französischen Prachtausgabe
schlug aber auch wieder zum geschäftlichen Vorteil für den
Herausgeber aus, da er seine Exemplare sehr gut absetzte,[2]
und einer Belohnung für seine Aufmerksamkeit sicher sein
durfte. Der Kronprinz von Baiern und der Minister
De Champagny subscribierten auf eine beträchtliche Anzahl von Exemplaren.[3]

Letzterer schrieb an Klein am 28. Juli: „. . . . . votre

---

[1] Victorin Fabre teilte von Klein i. J. 1807 die Adresse der Baronin
mit. Malten Bibl. d. n. W. 2, 169.

[2] Sie waren nur in beschränkter Anzahl gedruckt.

[3] De Champagny zahlte für fünf Exemplare 625 Francs.

— 91 —

ouvrage, qui m'interesse par son sujet et plus encore par la manière dont vous l'avez traité. J'aimerai à en parler à S. M. l'empereur, lorsque tans de liens unissent l'allemagne à la France qui tous sont l'ouvrage de l'empereur, Sa majesté ne peut qu 'approuver la publication d' un ouvrage, dont le resultat sera de mieux faire connoitre aux françois l'estimable nation avec laquelle ils sont de plus en plus unis, en lui montrant tous les hommes illustres qu'elle a produits." Ph. d e l a M a d e l e i n e , der Conservator der Bücher, Karten und Gravüren, machte ihm bald darauf im Auftrage des Ministers ein kostbares Werk über die Feldzüge Napoleons zum Geschenk.

Wie Anton von Klein in die Gelehrten-, Künstler- und Diplomatenkreise der Metropole des Kaiserreichs Eingang fand, so war er auch ganz gewiss als gewandter Gesellschafter in den Salons der Schönheiten und geistreichen Damen kein seltener Gast.[1] Abends boten ihm die Pariser Theater eine genussreiche Abwechslung, welche ihm, als Kenner des französischen Dramas, ganz besonders zusagte. Des Oefteren war er unter den Gästen der Vorstellungen auf dem T h é â t r e d e S a i n t - C l o u d zu sehen, wo er in E. von Dalbergs Gesellschaft erschien.[2] Dieser war es auch, welcher ihm die Auszeichnung verschaffte, von der K a i s e - r i n mehrere Male empfangen zu werden. Nach den Karten der Madame D e l a R o c h e F o u c a u l d an Emmerich von Dalberg[3] geschah dies dreimal. Eine dieser Audienzen benutzte Klein dazu, der Kaiserin nach der Messe in S t. C l o u d seine Prachtausgabe vorzulegen.

So war Klein hoher Auszeichnungen teilhaftig geworden und konnte befriedigt nach fast neunmonatlichem Aufenthalte in die Pfalz zurückkehren.

In M a n n h e i m angelangt, nahm er seine g e s c h ä f t -

---

[1] Vgl. L. L., S. 140.
[2] Sechs Einladungen zu diesen Vorstellungen: K. U. u. L. B. Strassburg.
[3] Ebenda.

liche Thätigkeit sofort mit neuem Eifer auf. Durch
eine Eingabe an den Grossherzog am 17. Dezember 1806
hoffte er wieder einen Schritt vorwärts zu thun: „Mein
dreyssigjähriges ¹) Kurfürstl. privilegirtes Verlags-Institut —
so schreibt er — war darum einer der beträchtlichsten Handlungszweige und vielleicht das einzige bedeutende Activcommerce unserer Stadt, weil seine Einrichtung vorzüglich
dahin geht, für blose Werke des Fleisses und der Industrie
fremdes Geld ins Land zu bringen." Schon vor zweiundzwanzig Jahren habe sein Institut der Pfalz Nutzen gebracht.
„Seit der Zeit, so fährt er fort, hat es durch Unternehmungen
von Auflagen vieler anderer Werke, als mit den vielerley
Ausgaben der Leben grosser Deutschen, mit den Schriften
der deutschen Gesellschaft etc. einen sehr grossen Zuwachs
erhalten. Auch erhellt die Wichtigkeit meiner Unternehmungen daraus, dass ein einziges complettes Exemplar
meines eigenen Verlags einen Preis von mehr als 700 G.
ausmacht, wie es durch öffentliche Blätter öfters bekannt
gemacht worden ist. Ich bin entschlossen, meiner Handlung von nun an einen noch grösseren Umfang zu geben;
ich habe zu diesem Ende aufs neue ein beträchtliches Kapital dazu verwendet, über 200 gestochene Kupferplatten eingekauft und Anstalten gemacht, mehrere wichtige wissenschaftliche, litterärische und Kunst-Prachtwerke zu verlegen."
Da der Grossherzog, der Schützer der Industrie, auch seinen
gelehrten Arbeiten schon mehrmals Beifall geschenkt habe,
so bittet er „seiner Handlung den Titel und die Vortheile
einer Grossherzogl. privilegirten Hof-Buch- und Kunsthandlung zu gewähren." Bisher habe er sein Geschäft
unter dem Namen „Pränumerations Comptoir" genannt. Er
fügt hinzu, die Verleihung des Titels werde ihm um so
nützlicher sein, als die neue Benennung nicht unter seinem
Namen geführt werden könne, da er sich mit dem commerce
selbst nicht beschäftige; sondern nur die Speculationen ent-

---

¹) Er übertreibt: 1781 erhielt er das erste Privilegium.

werfe, die Fonds dazu schiesse, und alle seine Musse der
Litteratur und den Wissenschaften widme.

Diesmal wurden seine Wünsche erfüllt. Der Grossherzog beschied, dass er seine Buch- und Kunsthandlung so
wie er solche dermal betreibe, künftig unter der Firma einer
Grossherzl. privilegirten Hof-Buch- und
Kunsthandlung führen dürfe.

Der Pariser Aufenthalt hatte eine litterarische Correspondenz mit neuen Freunden zur Folge, aus welcher besonders diejenige mit Victorin Fabre[1]) und De
Sales[2]) anzuführen ist.

Im Sommer des Jahres 1807 erhielt Klein auch von
dem Athenée in Paris ein Diplom mit folgendem
Schreiben: „Monsieur, Le Conseil général de l'Athénée de
la Langue Française me charge de vous offrir le diplôme
qu'il vous a destiné. C'est un temoignage d'estime qu'il
se plait à donner aux amis de la langue et de la littérature
françaises."

Die Beziehungen Kleins zu deutschen Gelehrten treten
aber in diesen Jahren schon sehr vereinzelt mehr zu Tage.
Tiedge hatte ihn noch im Jahre 1807 mit einem ausführ-
lichen Schreiben[3]) erfreut, das sich über den „Athenor"
verbreitet. Auch correspondierte er im Jahre 1809 mit De
Sales,[4]) doch handelte es sich dabei ausschliesslich um
seinen Bruder, welcher durch Sales' Vermittlung eine Professur in Mainz erhielt.

Die Schaffenskraft Anton von Kleins, welcher nun bereits das Greisenalter erreicht hatte, liess allmählich nach.
Einige zerstreute Aufsätze, das Lesebuch für alle
Stände (1808) und endlich die Herausgabe der schon früher
entstandenen dramaturgischen Schriften (1809)
sind seine letzten schriftstellerischen Arbeiten geblieben.

---

[1]) Malten Bibl. d. n. W. 2, 168.
[2]) K. U. u. L. B. Strassburg.
[3]) Malten Bibl. d. n. W. 2, 216.
[4]) K. U. u. L. B. Strassburg.

Als der Staatsmann und Schriftsteller Graf von
Bentzel-Sternau[1]) im Jahre 1808 nach Baden gekommen war, trat Klein alsbald mit ihm in schriftlichen Verkehr. Bentzel-Sternau erwähnt in dem einen Briefe ein
Karl-Stephanie-Museum, zu welchem Klein in
Beziehung stand und als dessen Mitbegründer er bezeichnet
wird.[2])

Neue Hoffnungen erfüllten Klein, als sich das Interesse für die Litteratur und die schönen
Wissenschaften an massgebender Stelle wieder zu
regen begann. Hatte schon Bentzel-Sternau in
seinem Briefe an Klein vom 27. März 1809 darauf hingewiesen, dass zur gedeihlichen Entwicklung der Wissenschaften eine Vereinfachung der Censur notwendig werde,
so musste die Nachricht des Finanzministers von Türckheim an ihn vom 21. Februar 1810,[3]) welche eine neue
Pflege der Künste in Mannheim selbst versprach, Klein besonders willkommen sein. Von Türckheim schrieb ihm damals: „Bereits vor einigen Wochen ist ein Bericht in das
Kabinet erstattet, um dem Kunstsinn in Mannheim einen
Vereinigungspunkt zu errichten. Ich verband damit mora-
lische Zwecke um bey der zahlreichen studierenden Jugend
die Gefühle des sittlich schönen aufblühen zu sehen. S. E.
Herr von Reizenstein wird in kurzer Frist eine Entscheidung vorschlagen.‟

Dass Anton von Klein seine Vorlesungen damals

---

[1]) geb. 1767, gest. 1849, trat 1806 als Direktor der Generalstudien-
commission und geheimer Rat beim Polizeidepartement in badische Dienste,
ward hier 1808 Ministerialdirektor des Innern und 1810 Oberhofgerichts-
präsident zu Mannheim. Zog sich 1813 nach einjähriger Wirksamkeit als
Staats- und Finanzminister des Grossherzogtums Frankfurt zurück. Ueber
ihn als Dichter s. Allg. Deutsche Biogr. 2, 348; zwei Briefe von ihm an
Klein abgedruckt bei Malten Bibl. d. n. W. 2, 99 und 436.

[2]) Siehe Malten Bibl. d. n. W. 2, 99 und Morgenblatt 1810 No. 300
(S. 1200 a) unter den Correspondenz-Nachrichten. Ueber dieses Museum
ist man heute nicht mehr unterrichtet.

[3]) K. U. u. L. B. Strassburg.

wieder aufgenommen hatte, erfahren wir aus einem anderen Briefe von Türckheim's,[1]) in dem dieser denselben einen guten Fortgang wünscht. In der That war Klein seiner geschäftlichen Arbeiten endlich überdrüssig geworden und beschloss, sich zur Ruhe zu setzen, um sich fortan ausschliesslich seiner Liebhaberei, der Unterweisung in den schönen Künsten, zu widmen. Sein Geschäft und die reiche Erbschaft, welche ihm bei dem Tode seiner Frau zugefallen war, hatten ihn zum wohlhabenden Manne gemacht. Es repräsentierte aber auch sein Besitz an Kunstschätzen, die er im Laufe der Jahre eifrig gesammelt hatte, ein ganzes Vermögen. Und es gelang ihm, dasselbe nunmehr sich selbst, und zugleich zur Versorgung seines kränkelnden Sohnes nutzbar zu machen.

Zu Beginn des Jahres 1810 machte er der Regierung den Vorschlag, seine wertvollen K u n s t s a m m l u n g e n für den Staat anzukaufen. Zu Anfang Mai desselben Jahres wurden die Verhandlungen eingeleitet.[2]) Schon am 8. Mai wurde der A n k a u f vom Grossherzog genehmigt.

Mit grosser Klugheit ging Anton von Klein bei der Feststellung des Vertrages zu Werke. Nicht nur, dass er sich eine förmliche Versicherungsurkunde ausstellen liess, sondern er wusste sich auch für die Zeit nach dem Verkaufe ein aussergewöhnliches Benutzungsrecht seiner bisherigen Sammlungen zu wahren: denn er liess sich bei diesem Anlasse ein öffentliches Vorlesungszimmer, dessen er lange entbehrt hatte, in der grossherzogl. Gallerie selbst einräumen. Professor Schreiber in Heidelberg wurde im Juli beauftragt, gemeinschaftlich mit dem Gallerieinspektor Strassens die Kupferstiche sowohl, als die Gemälde mit dem Verzeichnisse zu vergleichen. Sodann nahm der letztere dieselben am

---

[1]) Vom 20. November 1810; K. U. u. L. B. Strassburg. v. Türckheim bittet Klein, ihm Karten mit seinem Wappen stechen zu lassen. Erklärend setzt er hinzu: „Ich führe keinen Helm oder Krone, um den französischen Gesetzen treu zu bleiben."

[2]) Das Material enthalten die Akten im G. L. A. Karlsruhe. Grossherz. Baden Kunstsammlung.

9. Juli in Empfang und begann die Aufstellung in der grossherzogl. Gallerie in Mannheim zu besorgen. Wie sich aus den im Anhang beigefügten Vertragsbestimmungen ergiebt, handelte es sich bei dem Ankaufe um die Gesammtsumme von 52 800 Gulden, welche der Staat binnen 15 Jahren an Anton von Klein bezw. seinen Sohn auszuzahlen hatte. Am 22. August 1810 schrieb Klein voll Freude und Dank an den Minister (Freiherrn von Edelsheim): „Die Gemälde sind in der grossherzogl. Gallerie zur Freude Mannheims und zum täglichen Genuss der Fremden aufgestellt. An Einrichtung des Kupferstichkabinets wird eifrig gearbeitet und in den Herbstferien beginnen darin meine Vorlesungen."

Aber er erfreute sich nur mehr kurze Zeit seines Glükkes. Noch manche Arbeit, zunächst der zweite Band der dramaturgischen Schriften, harrte der Veröffentlichung, als ihn am 5. Dezember des Jahres 1 8 1 0 der Tod ereilte.

16.
Der Sohn Anton von Kleins.[1])

Anton von Klein hinterliess nur seinen Sohn K a r l A u g u s t. Für den noch unmündigen — er stand bei dem Tode des Vaters im sechzehnten Lebensjahre — übernahm der Hofgerichtsrat M i n e t zu Mannheim die Vormundschaft.

Karl August hatte bis dahin dank der Fürsorge seines Vaters eine ausgezeichnete Erziehung genossen. Schon früh hatte der kunstbegeisterte Vater das musikalische Talent des

---

[1]) Q u e l l e n : Akten des G. L. A. Karlsruhe.

F. J. Fetis Biographie Universelle des musiciens, p. 49—50.

Larousse Grand Dictionnaire du XIXe. Siècle 9, 1224 b.

Mendels Musikalisches Convers.-Lexikon 6, 93.

Malten Bibliothek der neuesten Weltkunde 1840 I, S. 379.

Kindes erkannt und für dessen Pflege gesorgt. Mit dem sechsten Lebensjahre erhielt der Knabe den Unterricht im Klavierspiel und bereits im nächsten Jahre überraschte er seinen Vater mit einer kleinen Sonate für das Piano. Im Laufe der späteren Jahre folgten viele solcher Arbeiten, zu welchen sich die Composition von Gesängen gesellte, deren Texte der Vater selbst verfasst hatte. Im Jahre 1809 war der junge Musiker sogar an die Aufgabe gegangen, die Musik zu dem von seinem Vater verfassten Melodram: „Aufruf zum Lebensgenuss" zu componieren.

Anton von Klein hatte selbst Sorge getragen, dass neben der musikalischen Ausbildung der Unterricht in den allgemeinen Kenntnissen nicht vernachlässigt wurde.

Mit Freude hatte er sich auch der Aufgabe unterzogen, seinen eigenen Sohn mit den lateinischen, französischen und deutschen Dichtern vertraut zu machen und ihm auch in den Wissenschaften, besonders der Physik und Mathematik, umfangreiche Kenntnisse beizubringen.

Es war ein grosses Glück, dass der Vater gerade noch vor seinem Tode die Existenz des Sohnes durch den Kaufvertrag mit der Regierung sicher gestellt hatte, zumal Karl August bereits damals von einem andauernden, sich nie mehr verlierenden Krankheitsübel, der Epilepsie, befallen wurde, welches ganz besonderer Pflege bedurfte. Das Leiden, von der früh verstorbenen Mutter auf den Sohn vererbt, hatte sich schon im Jahre 1809 angekündigt, gerade als sich der vielseitige Componist und Theoretiker Dr. Gottfried Weber (1779—1833) zum Lehrer des jungen Componisten erbot. Auf Weber hatte das frühreife Talent und die Intelligenz des jungen Musikers einen überraschenden Eindruck gemacht. Die Krankheit hinderte aber die Ausführung des vorteilhaften Planes.

Der Vormund wie der Onkel, Professor von Klein in Mainz, zu welchem Karl August bald nach dem Tode des Vaters übersiedelte, sorgten für den leidenden Jüngling in liebevoller Weise. Doch hatten sie manche Schwierigkeiten

7

zu überwinden. Zunächst scheiterte der Versuch des Vormundes, dem Sohn an Stelle der Leibrente, deren Auszahlung
durch die Kriegszeiten ins Stocken geriet, von der Regierung
eine verhältnismässige Domaine übertragen zu lassen (1813).
Nachdem Karl August unter der Leitung Zulehners[1]) in
Mainz den Unterricht in der Composition wieder aufgenommen hatte, kehrte die Krankheit in solchem Grade wieder,
dass diese Beschäftigung auf mehrere Jahre gänzlich abge-
brochen wurde. Erst nach langen Leiden und einer gedul-
dig ertragenen Pflege, nahm die Schwere und Häufigkeit
der Anfälle ab. Unter diesen Umständen war für den 1814
grossjährig gewordenen Karl August die Rente des Vaters
ein Segen geworden. Da sie bei den verhängnisvollen Zeiten
nicht immer zur sofortigen Auszahlung kam, bedurfte es der
ganzen Energie des Vormundes und des Onkels, durch
häufige Reclamationen[2]) die Rechte des leidenden Erben
zu wahren.

Endlich war Karl August wieder so weit hergestellt, dass
er im Jahre 1817 nach Paris reisen konnte, wo es ihm an
einflussreichen Bekanntschaften nicht gefehlt haben kann!
Er hatte das Glück, Etienne Méhul in seinem letzten
Lebensjahre kennen zu lernen und dessen Interesse zu erregen. Obwohl der berühmte Componist schon kränkelte,
würdigte er die Compositionen des jungen Musikers einer
Durchsicht und gab demselben eine glückliche Prophezeiung
für seine Zukunft mit auf den Weg. Solches Lob und der
spätere Glückwunsch Beethovens in einem Briefe über
die quatuors de violon von Klein, hoben die sittlichen Kräfte
des begabten Componisten, dessen Körper von steten Leiden
gequält wurde. Der Beifall dieser beiden grossen Zeitgenossen setzte ihn über die Kränkungen hinweg, welche ihm

---

[1]) Carl Zulehner (geb. 1770, gest. nach 1830). Componist,
Dirigent und Lehrer der Composition. S. Fetis, Biogr. Univ. des musiciens 8, 525.
[2]) Die letzte geschah im J. 1817.

durch scharfe Recensionen seiner Werke in deutschen Zeitungen widerfahren waren.

Ueber seine weiteren Lebensschicksale ist nichts bekannt, doch giebt die Zahl der W e r k e ,[1]) deren letztes 1842 erschien, zur Genüge Zeugnis, dass Karl August von Klein mit Erfolg gegen seine inneren Leiden und seine äusseren Feinde gekämpft hat und ein fruchtbarer Musiker geworden ist. Seine Werke sollen bizarr, aber von grosser Wirkung gewesen sein. Sie gehören zum grösseren Teile der Kammermusik an, der übrige besteht aus Ouvertüren (darunter eine solche zu Shakespeares Othello), einer Symphonie, einem Graduale quinque vocum, und Gesängen mit Klavierbegleitung.

Schriftstellerisch hat sich Karl August von Klein durch mehrere musikalische Abhandlungen und Aufsätze bethätigt, welche in verschiedenen Zeitschriften meist anonym[2]) erschienen, sowie durch einen „musikalischen Katechismus." (Bingen 1842.)

In Maltens Bibliothek der neuesten Weltkunde steht noch im Jahre 1840 das zeitgenössische Lob über ihn, dass er „als glücklicher Tondichter wie als Schriftsteller im Bereiche der Musik gleich ausgezeichnet sei." Damit hören die Nachrichten über ihn auf.

Der Umstand, dass Karl August von Klein gerade die Mehrzahl derjenigen Briefe seines Vaters, welche wir nicht mehr im Original besitzen, im Morgenblatt (1820) und in Maltens erwähntem Werke der Nachwelt überliefert hat, hat die Zusammenstellung der authentischen Nachrichten über Anton von Klein sehr begünstigt.

Das Geschlecht Anton von Kleins blühte noch fort. Sein Stamm war noch 1863 im Herzogtum Nassau im Amte Rüdesheim begütert.[3])

---

[1]) Fetis zählt deren 14 auf, weitere geben Larousse und Mendel an.
[2]) Einige derselben siehe bei Malten Bibl. d. n. W. 1840 I. Band S. 379 i. d. Anm.
[3]) Kneschke, Neues allgemeines Deutsches Adelslexicon 5, 122.

7*

Anhang.

1. **E. F. Schwan,** „Anmerkungen über des Herrn Prof. Kleins Gesuch um ein Privilegium etc." S. I—IV.

2. **Privilegium** exclusivum für den Verlag der ausländischen schönen Geister. S. V f.

3. Brief von **Delisle de Sales** an den Professor Klein in Mainz (im Auszug). S. VI f.

4. Brief von **François Joseph Evêque de Tournay** an Klein S. VII f.

5. **Vertrag** zum Ankauf der **Kunstsammlungen** Kleins. S. VIII f.

Anmerkungen

über

des Herrn Prof. Kleins Gesuch um ein Privilegium
für seinen Verlag in Kuhrpfälzischen Staaten.*)

Uebersetzungen, nützlicher und lehrreicher Bücher, aus
fremden Sprachen sind von sehr grossen Nutzen, und das
Verdienst eines Mannes, der die besten Uebersetzungen
liefert, ist und bleibt ausser allem Zweifel gesetzt. Eben so
richtig und wahr ist es aber auch, dass wir bis auf den heuti-
gen Tag uns noch mit jenen ersteren schlechten Uebersetzungen würden behelfen müssen, wenn jene erste Uebersetzer
ein alleiniges ausschliessliches Recht und Privilegium über
ihre Uebersetzungen genossen hätten, oder wenn die Natur
der Sache dergleichen verstattete. Titl. Herr K l e i n selbst
würde dann mit seiner bessern Uebersetzung haben zurück-
bleiben, und die Welt ihrer entbehren müssen. Es ist also
offenbahr mehr nützlich als schädlich, wenn jeden, wie bisher, erlaubt ist, seine Kräfte zu versuchen. Liefert er nichts
Bessers, als wir bisher hatten, so ist der Schade sein; macht
er es aber besser, so gewinnt das Publikum dabey. Wenn
nun der Herr Geh. Sekr. Klein nicht annimmt, dass seine
Uebersetzung das n o n p l u s u l t r a aller möglichen künftigen Uebersetzungen sey, so wird er selbst als ein Gelehrter eingestehn, dass dergleichen m o n o p o l i a für die
Ausbreitung des Geschmacks, und der Wissenschaften

---

*) G. L. A. Karlsruhe.

äusserst schädlich, und dem weiteren Fortgang derselben durchaus hinderlich und entgegen sind.

Dies vorausgesetzt sehen hiesige von Sr. Kuhrfürstl. Durchlaucht gnädigst privilegirte Buchhändler nicht ein, was Titl. Herr Klein bei dem Verlag seiner bisherigen und künftigen Werke von uns in den sämmtlichen Kuhrpfälzischen Staaten für Beeinträchtigungen zu besorgen habe. Unseres Wissens ist ihm von keinem von uns, weder d i r e c t e noch i n d i r e c t e bisher etwas in den Weg gelegt worden; wir haben im Gegentheil selbst seine Werke mit verkaufen helfen, und wir müssten unsern eigenen Vortheil nicht kennen, wann wir nicht wünschten recht viel davon verkaufen[zu]können, da er uns einen billigen Vortheil für unsere Mühe nicht versagt. Wir sind auch erbötig ihm, die wiewohl ganz unnöthige, und wenn er's verlangt, schriftliche Versicherung zu geben, dass wir niemals eins von seinen Verlagsbüchern nachdrucken, noch auch ein, ihm auswärts nachgedrucktes Buch hier einführen und verkaufen wollen. Dieses ist schon eine stillschweigende Verpflichtung, die alle Verleger gegen einander haben, die in einem Lande und unter einerlei Gesetzen mit einander leben.

Aber das Gesuch des Titl. Herrn K l e i n ' s dass nun auch gar keine andere, von der seinigen ganz unterschiedene Uebersetzungen ausländischer Werke, die entweder schon da sind, oder noch von anderen Gelehrten sowohl auswärts, als in den Kuhrpfälzischen Staaten gemacht werden könnten, weder in Kuhrpfalz gedruckt, noch verkauft werden sollten, ist ein unerhörtes, ganz neues M o n o p o l i u m ohne Beispiel; und heisst eigentlich soviel, dass unser gnädigster Kuhrfürst, der sich bisher für alle Fürsten Deutschlands, besonders dadurch ausgezeichnet, dass in höchst dero Staaten, Künste und Wissenschaften nicht nur geschützt, sondern durch die reichlichsten Verwendungen aufgemuntert worden, wovon Titl. Herr K l e i n an seiner eigenen Person, die überzeugensten Proben erhalten, nun einmal für allemal verbieden soll, dass kein Gelehrter es wagen möge, nach dem

Herrn Klein noch Versuche in der Uebersetzungskunst zu machen: nicht zu gedenken, dass sämmtliche Kuhrpfälzische Buchhandlungen dadurch auf einmal, in einen so engen Kreiss eingeschlossen würden, dass ihr Handel in kurzen zu Grunde gehen müste, indem Herr Prof. Klein, natürlicher Weise seinen Zirkel immer erweiteren, und uns zuletzt nichts mehr zu verkaufen übrig bleiben würde. Und was könnten endlich Sr. Kuhrfürstliche Durchlaucht getreue Unterthanen dazu sagen, wenn sie sich durch ein solches Monopolium so eingeschränkt sähen, dass ihnen nun gar nicht mehr erlaubt wäre, eine andere Uebersetzung von einem ausländischen Werke zu lesen, als die der Herr Klein gemacht hätte. So weit hat noch kein Monopolist seine Foderungen getrieben.

Was den grossen unbeschreiblichen Nutzen betrift, den die Kuhrpfälzischen Staaten von dem Verlag des Titl. Herrn Klein ziehen sollen, so wird sich der wohl ziemlich auf seine eigene Person allein reduciren. Und wass die Ehre anbelangt, die durch das sogenannte Institut der ganzen Pfalz zuwachsen soll, so lässt sich nicht viel begreifen, worin diese so vorzüglich bestehen könne. Sowol die Academische als Schwanische Handlungen haben ganz andere, wichtigere vatterländische Originalwerke mit grossen Kosten verlegt, und noch niemals soviel aufhebens davon gemacht, als ob die Ehre der ganzen Pfalz dabey interressirt sey. Uebrigens wird das Pappier welches Herr Geh. Secret. Klein braucht, gröstentheils ausserhalb dem Kuhrpfälzischen Gebiete gemacht, und gehet also schon dafür auch wieder das Geld aus dem Lande. Der Buchdrucker Gegel in Frankenthal hat vorher gelebt und würde auch leben, wenn Titl. Herr Klein bloss Collegia über die schönen Wissenschaften lese, und denjenigen das Drucken überlassen hätte, deren Gewerbe es eigentlich ist, und die weiter keine Besoldungen haben. Auch würde schwerlich zu hoffen seyn, dass wenn Titl. Herr Klein, allein reich, die Buchhändler aber arm und zu Grunde gerichtet wären, der Staat dabey gewinnen werde.

Es ist vielmehr offenbahr dass die vor einigen Jahren in Werk gewesene Vereinigung sämmtlicher auswärtiger Buchhändler, in Mannheim eine Hauptniederlage von ihren Verlag zu machen, worüber der Buchhändler Schwan Sr. Excellenz den Herrn Minister die eigenhändige Unterschriften von mehr als fünfzig der Hauptbuchhandlungen vorgeleget, blos dadurch rückgängig und vereitelt worden, weil Herr K l e i n sich mit den Bücher Verlag und dessen Verkauf abgegeben, und dadurch ewige Irrungen, und Verdriesslichkeiten entstanden seyn würden, welche zu vermeiden, man lieber ganz davon [habe] abstehen wollen.

Wir wiederholen inzwischen zum Beschluss noch einmal, dass wir den Herrn Geh. Secrt. K l e i n keins von seinen Verlagsbüchern nachdrucken noch auch einen anderwärts gemachten Nachdruck einführen und verkaufen wollen, und hoffen Sr. Kuhrfürstl. Durchlaucht werden uns gnädigst erlauben, nach wie vor unser Gewerbe zu treiben und uns und unsere Kinder ehrlich zu ernähren. —

Mannheim, den 5. April 1781.

E. F. S c h w a n
im Nahmen und als Vorsteher der sämmtl.
Kurpfälzischen Buchhändler.

Privilegium exclusivum

für den Churpfältzischen geheimen Secretarium dann Lehrer der Weltweissheit und schönen Wissenschaften Anton Klein über die ausgebende Uebersetzung der ausländischen schönen Geister.

· Wir Carl Theodor

von Gottes Gnaden [tit. tot.] bekennen öffentlich mit diesem Briefe und thuen Kund jedermänniglichen:

Nach denen an Uns von unserem geheimen S e c r e - t a r i o dann Lehrer der Weltweisheit und schönen Wissenschaften A n t o n K l e i n das nthgst. bittliche Ansuchen gelanget, gestalten wir demselben ein P r i v i l e g i u m e x c l u s i v u m über die ausgebende Uebersetzung der ausländischen schönen Geister gdgst. zu verleyhen geruhen mögten, dass wir sothaner Bitte statt gethan, sohin ihme K l e i n das nachgesuchte P r i v i l e g i u m in der Maass gdgst. ertheilet haben, dass er solche Uebersetzung in sämmtlich unseren Churfürstlich-Pfältzisch- auch Gülich und Bergischen Landen in offenen Druck ausgehen, hin und wieder feil haben und verkaufen lassen möge; wie wir dann gegenwärtiges P r i v i l e g i u m hiermit und, Kraft dieses, gdgst. ertheilen, dannebens allen in oberwehnt- unseren Landen ansässigen Buch-Handlern, Buchdruckern, und sonstigen Unterthanen hiermit ernstlich gebieten, dass sie oder jemand von ihrentwegen sich nicht unterfangen sollen, jene Uebersetzung weder im gantzen noch eintzeln zu verlegen, nachzudrucken, und damit, gegen Vorwissen und Einwilligung deren Verfassers, Handel zu treiben, noch aus- oder einheimische mehrere solche Uebersetzungen, unter dem Titel einer Sammlung, zu verlegen, zu drucken, einzuführen, oder zu verkaufen, bey Vermeidung unserer Churfürstl. Ungnade und 100 Ducaten geld-Strafe | :wovon die eine Hälfte unserem aerario, die andere aber ihme Klein, zum einstweiligen Ersatz und genugthuung für den dardurch erlittenen Schaden, zufallen sollte :| dann bei Verlust des Nachdrucks, und derley von inn- oder Ausländer ferners erschienener und an sich gebrachter Uebersetzungen, als welche, mit Hülfe und zuthun eines jeden Orts Obrigkeit, wo dergleichen würde gefunden werden, alsbald aus eigenem Gewalt, ohne männiglichs Verhinderung, zu sich zu nehmen, fort damit, nach gefallen zu handlen und thuen, oftbesagter Klein oder dessen bevollmächtigte andurch ermächtiget werden.

Urkundl. unserer eigenhändiger Unterschrift und beygedruckten Kanzley-Sekret-Insiegel.

München, den 2ten Juni 1781.

Freiherr von Oberndorff.   Carl Theodor.

Auszug aus einem Schreiben

von

Delisle de Sales an den Professor Klein in Mainz.*)

Paris le 13. Mars
[wohl 1811]

. . . . „j'en viens à l'article des ouvrages de mon excellent ami le chev. de Klein et je vous instruirai de quelques détails que vous ignorez et qui doivent rester secrets entre nous deux.

„C'est moi seul qui ai redigé d'après ses memoires l'ouvrage entier de l'édition française des illustres germains — il y a même des vies que j'ai faites tout seul: c'est moi qui ai veillé à l'impression chez le fameux Didot, qui en ai corrigé toutes les épreuves: ce travail a duré 6 mois entiers et je

---

*) K. U. u. L. B. Strassburg.

m'y suis livré avec tout le zèle de l'amitié. Mr votre frere était un des êtres les plus nobles et les plus genereux que j'aye jamais connus; il voulait m'indemniser en argent en me donnant un intérêt sur la vente — mon coeur a repoussé les sacrifices du sien: enfin — après une longue lutte de generosité de part et d'autre, j'ai consenti que si j'obtenais de faire payer deux de ses souscripteurs qui refuseraient d'acquitter leurs dettes j'en garderais la valeur: ce qui s'est exécuté par rapport a l'un d'entre eux: — il m'a vaincu d'un autre coté en me faisant donner en son nom par Raynouard son libraire ainsi qu'à med.e de Sales quelques ouvrages très bien imprimés que nous avions vantés en sa présence . . . . .

Brief
von François Joseph Evêque de Tournay an Klein.

Mons le 27. Février 1810.*)

Mon très cher cousin!

j'ai lu avec le plus grand Interêt le récit que vous me faites de ce qui s'est passé à votre avantage, ainsi qu'à votre désavantage depuis notre derniere Entrevue à Mannheim, l'an 1785. je vous félicite de la juste renommée que vous vous êtes acquise comme Littérateur et comme autheur, je vous félicite encore plus du mariage avantageux que vous avez contracté, et d'en avoir obtenue un fils qui réunit toutes les qualités distinguées dont vous me donnez le détail, ce qui doit être pour vous le plus grand sujet de consolation après la perte que vous avez essuyée de votre cher[e]Epouse, qui par la fortune qu'elle vous a laissée vous met à l'abri de tout besoin, et vous rend indépendant dans la carrière d'auteur que vous avez couru jusqu'à ce jour d'une manière aussi distinguée que brillante.

---

*) K. U. u. L. B. Strassburg.

Je suis depuis 15 Jours à Mons où j'occupe un Hôtel dont la Munificence de S. M. l'empereur et Roy m'a gratifié depuis 2 ans. je retourne demain à Tournay où je restrai jusqu'après le 1er Dimanche de Pacques, où je commencerai mon cours de visites Episcopales, qui m'occuperont pendant 6 semaines.

je vous embrasse très affectueusement ainsi que vos chers enfans, et je suis très cher cousin

votre très affectionné

François Joseph Evêque de Tournay.

Punktation
zu einem Vertrag über die Akquisition der Gemälde und Kupferstichsammlung des Geheimraths v. Klein in Mannheim für den Staat.*)

(Im Auszug)

Karlsruhe vom 30ten Merz 1810.

1.

Der Geheimrath von Klein überlässt an den Staat a) die in der Anlage verzeichneten 21 Stück Original-Gemählde.

b) seine vollständige Kupferstichsammlung.

2.

Derselbe erhält dafür vom Tag des Vertrags an für sich und nach seinem Tode für seinen Sohn auf fünfzehn Jahre ein jährliche, quartalweise (vom 1. Juli 1810 an) fällige Rente von 4300 Gulden in den ersten 6 Jahren, und 3000 Gulden in den letzten 9 Jahren.

Für den Fall des Todes des Vaters oder Sohnes, fällt der Rest dem Staate anheim.

---

*) G. L. A. Karlsruhe.

— IX —

3.

Dem Geheimrath von Klein ist gestattet, schon im Monat April dieses Jahres und hiernächst jedesmal in den beiden zu den Universitäts-Ferien bestimmten Monaten April und October Vorlesungen über alte und neue Kunst zu halten, und dabei auch die Grossherzogliche Gallerie und Antiken-Sammlung unter Benehmung mit der gewöhnlichen Direktion derselben zu benüzen.

4.

Ferner wird demselben gestattet, wenn der Kauf zu stand gekommen und seine Kunstsammlung mit der grossh. Gallerie vereinigt sein wird, obige Vorlesungen in dem Lokal derselben fortzusetzen, jedoch so, dass ihm darüber eine Aufsicht oder Direktion nicht zustehen soll, welche allein der hiezu bereits angeordneten Behörde verbleibt.

Geboren wurde ich, K a r l K r ü k l, katholischer
fession, österreichischer Staats-Angehöriger, zu Berlin
26. Juni 1874 als Sohn des jetzt verstorbenen Sänger:
Directors Dr. F r a n z K r ü k l und seiner Ehefrau M :
geb. T h o m e r.

Nach Absolvierung der Vorschule in Hamburg tra
Ostern 1884 in das Städtische Gymnasium zu Frankfurt
ein, welches ich Ostern 1893 mit dem Reifezeugnis ver
Ich wurde darauf am 19. April 1893 an der K a i s e r - V
h e l m s - U n i v e r s i t ä t zu S t r a s s b u r g i. E. i
trikuliert, an welcher ich in der Folgezeit besonders die
lesungen der Herren Professoren Dr. M a r t i n, Dr. H
n i n g, Dr. J a c o b s t h a l, Dr. G r ö b e r und
S c h n e e g a n s hörte, u. zw. in den Semestern: So
1893 — einschl. Sommer 1894, Winter 1895 — ei
Sommer 1897, und Winter 1898 — einschl. Sommer
Vom Herbst 1894—1895 und übungsweise in den Som
1896 und 1898 diente ich mit der Waffe in Wien.

Inzwischen hatte ich mich auch der Bühnenlaut
als Baritonist zugewandt und war als solcher 1897—189
dem Stadttheater zu Metz und i. J. 1898 als Gast an
Hoftheater zu Stuttgart und dem Stadttheater zu Stras
i. E. thätig. Seit dem September des Jahres 1899 bi
Mitglied des Herzoglichen Hoftheaters zu Coburg-Goth

Von den genannten Herren Professoren der K
Wilhelms-Universität, welche mich stets in der freundlic
Weise gefördert haben, erlaube ich mir Herrn Professo
M a r t i n auch an dieser Stelle meinen ganz beson
Dank abzustatten. Nicht nur, weil ich durch ihn auc
den Gegenstand der vorliegenden Arbeit hingewiesen w
bin, sondern weil ich vor allem seiner gütigen Ermunte
die Freude verdanke, dass ich meine mehrfach unterbroch
Studien zu einem gewissen Abschlusse bringen konnte.

Wie meiner Lehrer, so bleibe ich auch der stillen V
thäter dankbar eingedenk, welche mir von seiten der
S i d n e y W o l f - S t i f t u n g zu H a m b u r g eine U
stützung zur Beendigung meiner Studien zu teil wo
liessen.
